A-Z BARNSLEY

Key to Maps

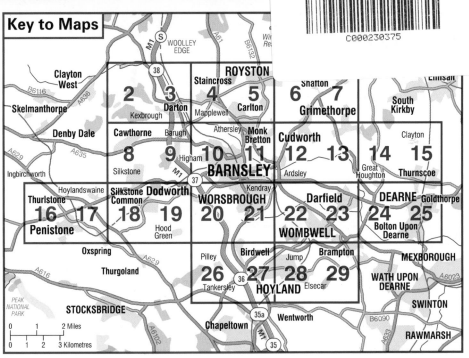

Reference

Motorway	**M1**	
A Road	A61	
Proposed		
B Road	B6132	
Dual Carriageway		
One-way Street		
Traffic flow on A roads is indicated by a heavy line on the driver's left.		
Restricted Access		
Pedestrianized Road		
Track & Footpath	=======	
Residential Walkway	··········	
Railway	Station / Heritage Sta.	Tunnel / Level Crossing

Built-up Area	CHURCH ST.
Local Authority Boundary	— ·· — ·· —
Postcode Boundary	— — —
Map Continuation	**10**
Car Park (selected)	P
Church or Chapel	†
Fire Station	■
Hospital	H
House Numbers (A & B Roads only)	114 — 119
Information Centre	i
National Grid Reference	435

Police Station	▲
Post Office	★
Toilet	▽
with facilities for the Disabled	♿
Educational Establishment	⌐
Hospital or Hospice	⌐
Industrial Building	⌐
Leisure or Recreation Facility	⌐
Place of Interest	⌐
Public Building	⌐
Shopping Centre or Market	⌐
Other Selected Buildings	⌐

Scale 1:19,000

0 — ¼ — ½ Mile

0 — 250 — 500 — 750 Metres — 1 Kilometre

3⅓ inches (8.47 cm) to 1 mile

5.26 cm to 1 kilometre

Copyright of Geographers' A-Z Map Company Limited

Head Office :
Fairfield Road, Borough Green, Sevenoaks, Kent TN15 8PP
Tel: 01732 781000 (General Enquiries & Trade Sales)
Showrooms :
44 Gray's Inn Road, London WC1X 8HX
Tel: 020 7440 9500 (Retail Sales)
www.a-zmaps.co.uk

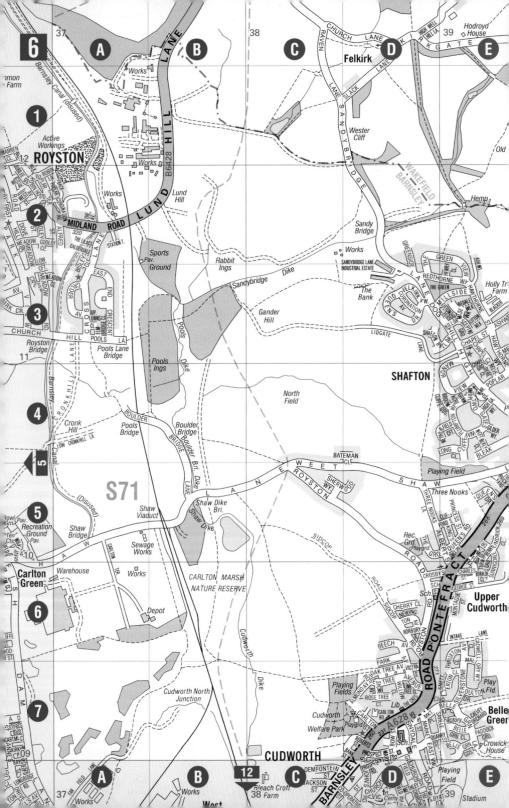

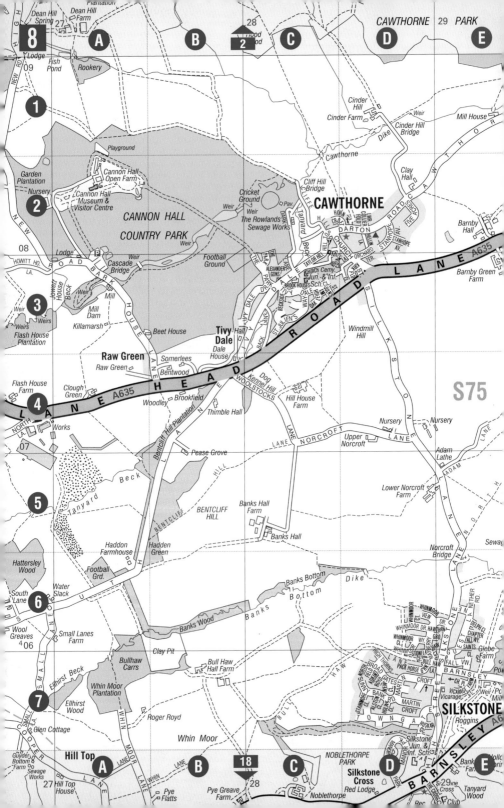

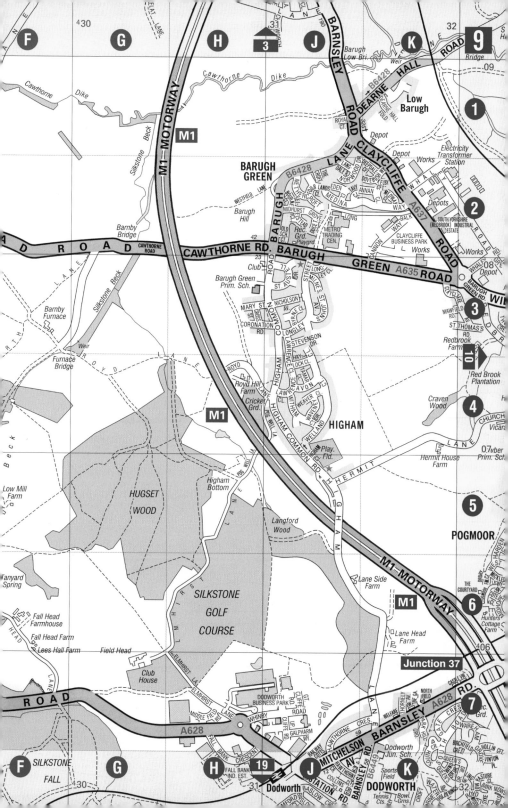

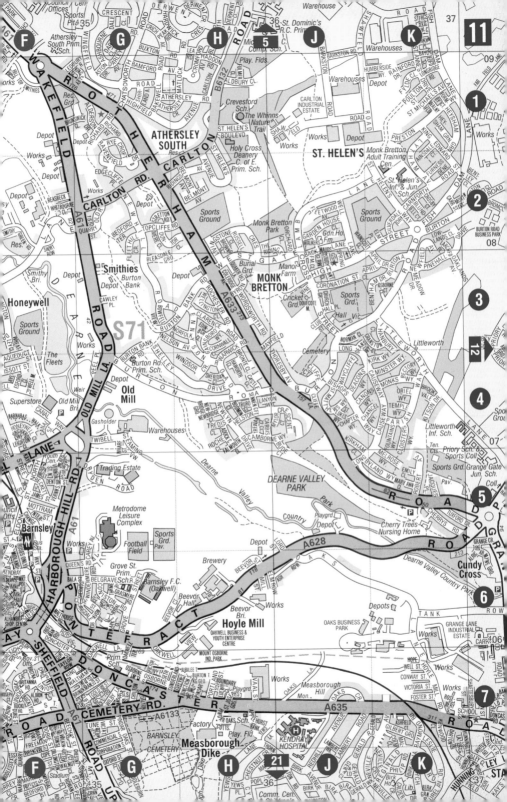

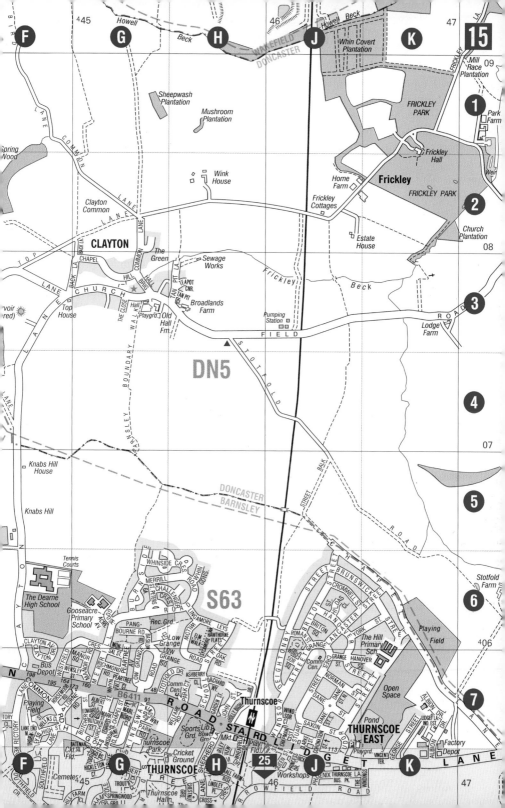

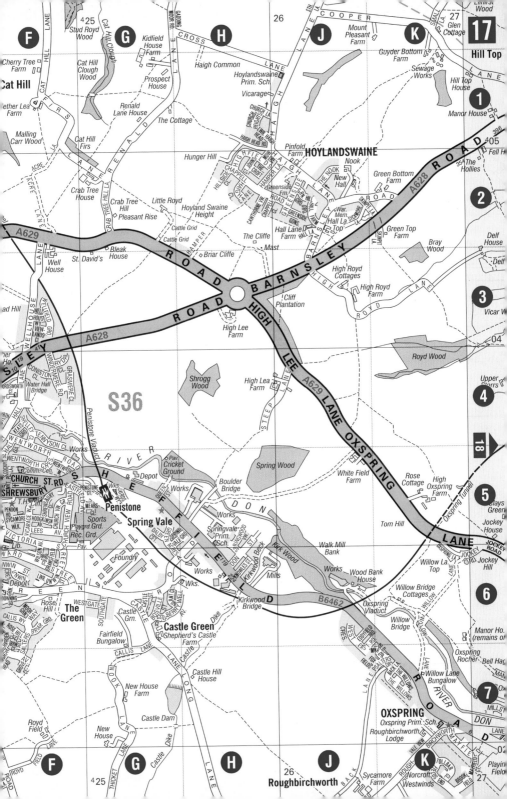

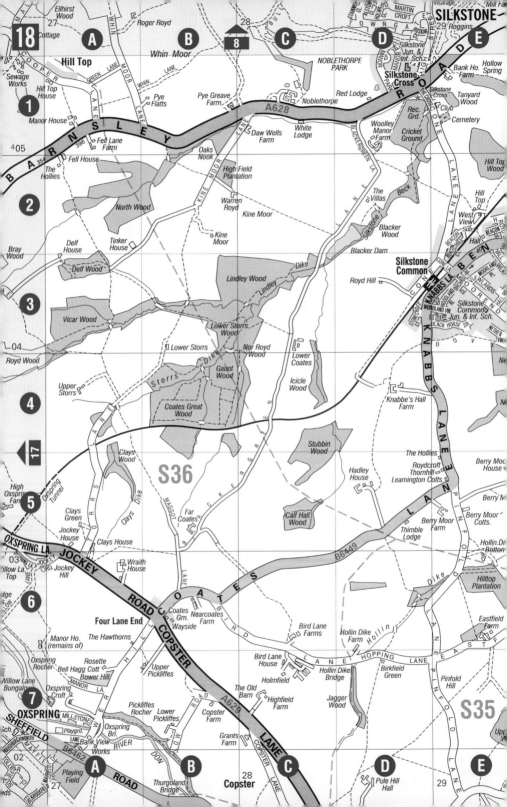

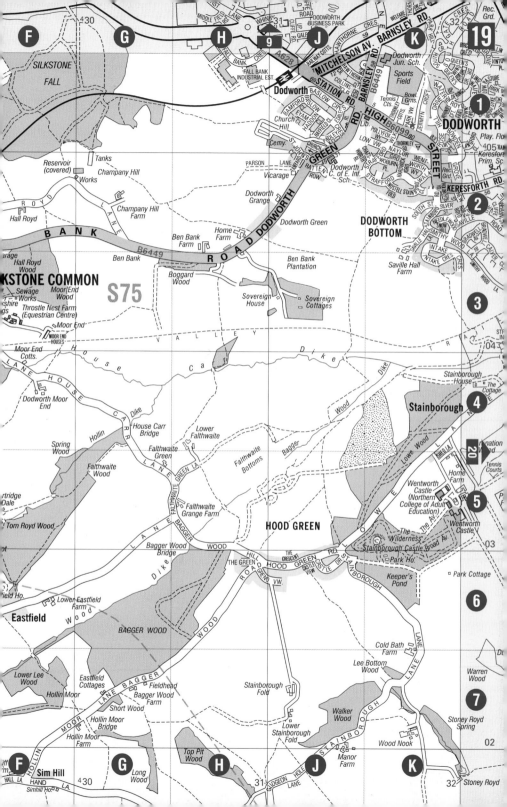

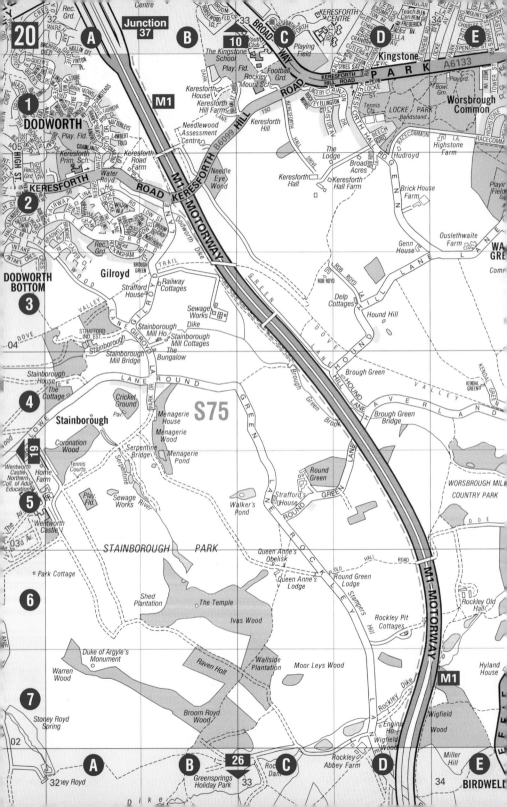

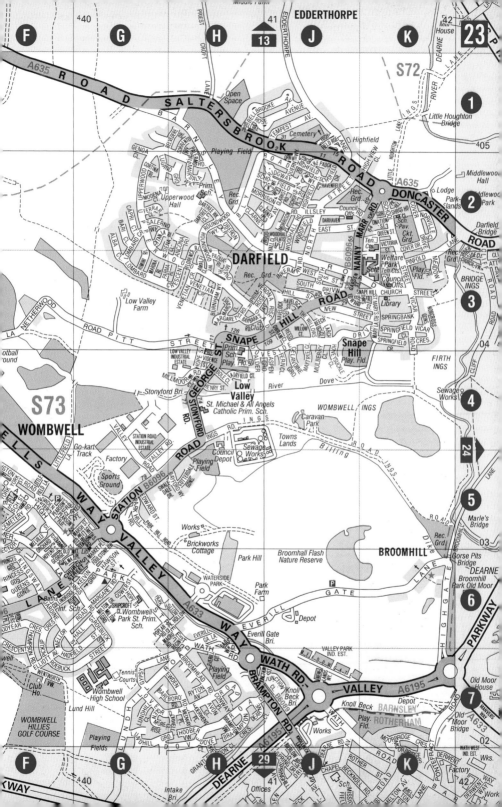

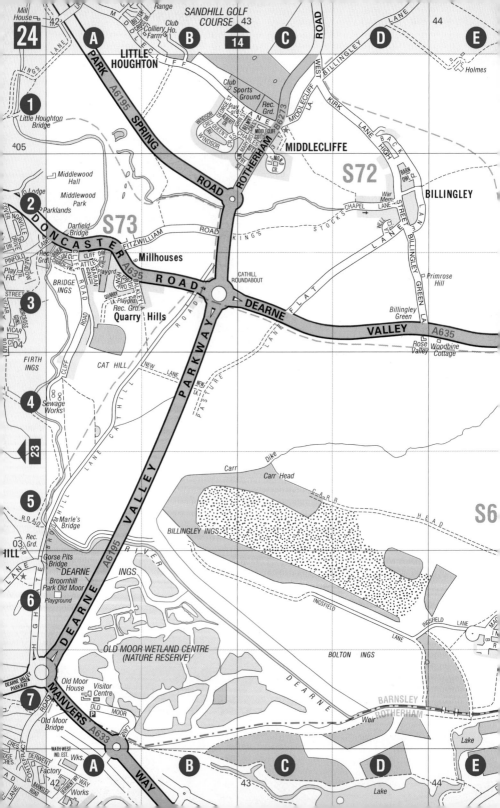

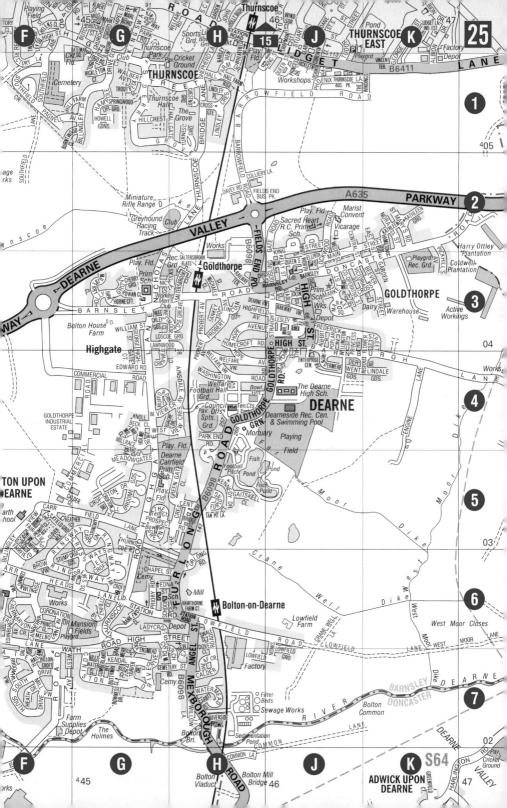

INDEX

Including Streets, Places & Areas, Hospitals & Hospices, Industrial Estates,
Selected Flats & Walkways and Selected Places of Interest.

HOW TO USE THIS INDEX

1. Each street name is followed by its Posttown or Postal Locality and then by its map reference; e.g. Abbots Rd. *B'ley* —4B **12** is in the Barnsley Posttown and is to be found in square 4B on page **12**. The page number being shown in bold type.
   A strict alphabetical order is followed in which Av., Rd., St., etc. (though abbreviated) are read in full and as part of the street name; e.g. Ash Gro. appears after Ashford Ct. but before Ashleigh.

2. Streets and a selection of flats and walkways not shown on the maps, appear in the index in *Italics* with the thoroughfare to which it is connected shown in brackets; e.g. *Blacksmith Sq. Else* —5D **28** *(off Wath Rd.)*

3. Places and areas are shown in the index in **bold type**, the map reference to the actual map square in which the town or area is located and not to the place name; e.g. **Athersley North.** —6F **5**

4. An example of a selected place of interest is Barnsley F.C. —6G **11**

5. An example of a hospital or hospice is BARNSLEY DISTRICT GENERAL HOSPITAL. —4C **10**

GENERAL ABBREVIATIONS

All : Alley	Ct : Court	Lit : Little	Rd : Road
App : Approach	Cres : Crescent	Lwr : Lower	Shop : Shopping
Arc : Arcade	Cft : Croft	Mc : Mac	S : South
Av : Avenue	Dri : Drive	Mnr : Manor	Sq : Square
Bk : Back	E : East	Mans : Mansions	Sta : Station
Boulevd : Boulevard	Embkmt : Embankment	Mkt : Market	St : Street
Bri : Bridge	Est : Estate	Mdw : Meadow	Ter : Terrace
B'way : Broadway	Fld : Field	M : Mews	Trad : Trading
Bldgs : Buildings	Gdns : Gardens	Mt : Mount	Up : Upper
Bus : Business	Gth : Garth	Mus : Museum	Va : Vale
Cvn : Caravan	Ga : Gate	N : North	Vw : View
Cen : Centre	Gt : Great	Pal : Palace	Vs : Villas
Chu : Church	Grn : Green	Pde : Parade	Vis : Visitors
Chyd : Churchyard	Gro : Grove	Pk : Park	Wlk : Walk
Circ : Circle	Ho : House	Pas : Passage	W : West
Cir : Circus	Ind : Industrial	Pl : Place	Yd : Yard
Clo : Close	Info : Information	Quad : Quadrant	
Comn : Common	Junct : Junction	Res : Residential	
Cotts : Cottages	La : Lane	Ri : Rise	

POSTTOWN AND POSTAL LOCALITY ABBREVIATIONS

Adw D : Adwick-upon-Dearne	*D'fld* : Darfield	*Hoy* : Hoyland	*Silk C* : Silkstone Common
Ard : Ardsley	*Dart* : Darton	*H'swne* : Hoylandswaine	*S Elm* : South Elmsall
Barn : Barnburgh	*Dod* : Dodworth	*Jump* : Jump	*S Hien* : South Hiendley
B'ley : Barnsley	*Else* : Elsecar	*Kil* : Killamarsh	*S'bgh* : Stainborough
Bar G : Barugh Green	*Fric* : Frickley	*King* : Kingston	*S'foot* : Stairfoot
Birdw : Birdwell	*Gawber* : Gawber	*L Hou* : Little Houghton	*Swait* : Swaithe
Bla H : Blacker Hill	*Gold* : Goldthorpe	*Lund* : Lundwood	*Tank* : Tankersley
Bol D : Bolton-upon-Dearne	*Gt Hou* : Great Houghton	*Manv* : Manvers	*T'land* : Thurgoland
Bram : Brampton	*Grim* : Grimethorpe	*M'well* : Mapplewell	*Thurls* : Thurlstone
Bram B : Brampton Bierlow	*Haigh* : Haigh	*Mill G* : Millhouse Green	*Thurn* : Thurnscoe
Bret : Bretton	*Harl* : Harley	*Monk B* : Monk Bretton	*Wath D* : Wath-upon-Dearne
Brie : Brierley	*H'ton* : Harlington	*New C* : New Crofton	*W'wth* : Wentworth
Car : Carlton	*H'fld* : Hemingfield	*Notton* : Notton	*Womb* : Wombwell
Caw : Cawthorne	*Hems* : Hemsworth	*Oxs* : Oxspring	*Wool* : Woolley
C'town : Chapeltown	*Hick* : Hickleton	*P'stne* : Penistone	*Wors* : Worsbrough
Clayt : Clayton	*Hghm* : Higham	*Rawm* : Rawmarsh	*Wors B* : Worsbrough Bridge
Clayt W : Clayton West	*High G* : High Green	*Roy* : Royston	*Wors D* : Worsbrough Dale
Cra M : Crane Moor	*H Hoy* : High Hoyland	*Shaf* : Shafton	*Wort* : Wortley
Cud : Cudworth	*Hood G* : Hood Green	*Silk* : Silkstone	

INDEX

Abbey Farm Vw. *Cud* —2D **12**
Abbey Grn. *Dod* —2A **20**
Abbey Gro. *Lund* —4A **12**
Abbey La. *B'ley* —5A **12**
Abbey Sq. *B'ley* —3A **12**
Abbot La. *Wool* —1B **4**
Abbots Clo. *Cud* —2E **12**
Abbots Rd. *B'ley* —4B **12**
Aberford Gro. *Else* —3D **28**
Acacia Gro. *Shaf* —4E **6**

Acorn Cen., The. *Grim* —1H **13**
Acorn Way. *Grim* —1H **13**
Acre La. *H'swne* —2F **17**
Acre Rd. *Cud* —3E **12**
Adam La. *Silk* —5E **8**
Adkin Royd. *Silk* —7D **8**
Adwick upon Dearne. —7K **25**
Agnes Rd. *B'ley* —7E **10**
Agnes Rd. *Dart* —6J **3**
Agnes Ter. *B'ley* —7E **10**

Ainsdale Av. *Gold* —4H **25**
Ainsdale Clo. *Roy* —1H **5**
Ainsdale Ct. *B'ley* —2K **11**
Ainsdale Rd. *Roy* —1H **5**
Airedale Rd. *Dart* —6G **3**
Aireton Rd. *B'ley* —5E **10**
Alan Rd. *Dart* —6H **3**
Alba Clo. *D'fld* —2G **23**
Albany Clo. *Womb* —2C **22**
Albert Cres. *L Hou* —1B **24**

Albert Rd. *Gold* —3J **25**
Albert St. *B'ley* —6F **11**
Albert St. *Cud* —5E **6**
Albert St. *Thurn* —7G **15**
Albert St. E. *B'ley* —6F **11**
Albion Dri. *Thurn* —7K **15**
Albion Ho. *B'ley* —7F **11**
Albion Rd. *Car* —7J **5**
Albion Ter. *B'ley* —7G **11**
Aldbeck Cft. *Dart* —7J **3**

Aldbury Clo. *B'ley* —1H **11**
Alder Clo. *M'well* —5A **4**
Alder Gro. *D'fld* —4H **23**
Alder M. *Hoy* —4A **28**
Alderson Dri. *B'ley* —1G **11**
Aldham Cotts. *Womb* —3E **22**
Aldham Cres. *Womb* —2C **22**
Aldham Ho. La. *Womb* —4D **22**
Aldham Ind. Est. *Womb* —3E **22**
Alexander Gdns. *Caw* —3C **8**
Alexandra Ter. *B'ley* —7B **12**
Alford Clo. *B'ley* —3B **10**
Alfred St. *Roy* —2A **6**
Alhambra Shop. Cen. *B'ley* —6F **11**
Allatt Clo. *B'ley* —7F **11**
Allendale. *Wors* —3J **11**
Allendale Ct. *Wors* —3J **21**
Allendale Dri. *Hoy* —4A **28**
Allendale Rd. *B'ley* —3E **10**
Allendale Rd. *Dart* —6H **3**
Allendale Rd. *Hoy* —4K **27**
Allott Clo. *Jump* —2C **28**
Allotts Ct. *Birdw* —2E **26**
Allott St. *Else* —4C **28**
Allott St. *Hoy* —4H **27**
All Saints Clo. *Silk* —6E **8**
Allsopps Yd. *Bla H* —7K **21**
Alma St. *B'ley* —6D **10**
Alma St. *Womb* —6F **23**
Almond Av. *Cud* —6D **6**
Almshouses. *W'wth* —7C **28**
Alperton Clo. *B'ley* —2B **12**
Alric Dri. *B'ley* —6A **12**
Alston Clo. *Silk* —7D **8**
Alton Way. *M'well* —5A **4**
Alverley Way. *Birdw* —3F **27**
Amalfi Clo. *D'fld* —3H **23**
Ambleside Gro. *B'ley* —7C **12**
America La. *Rawm & Wath D*
(in two parts) —7K **29**
Ancona Ri. *D'fld* —2H **23**
Ancote Clo. *B'ley* —6A **10**
Angel St. *Bol D* —7H **25**
Annan Clo. *Bar G* —2K **9**
Anne Cres. *S Hien* —1G **7**
Appleby Clo. *Dart* —5K **3**
Applehaigh Ct. *Notton* —1G **5**
Applehaigh Gro. *Roy* —2G **5**
Applehaigh La. *Notton* —1G **5**
Applehaigh Vw. *Roy* —3G **5**
Applehurst Bank. *B'ley* —7H **11**
Appleton Way. *Wors* —3G **21**
April Clo. *B'ley* —3K **11**
April Dri. *B'ley* —3K **11**
Aqueduct St. *B'ley* —6F **11**
Arcade, The. *B'ley* —6F **11**
Ardsley. —7C 12
Ardsley M. *B'ley* —7C **12**
Ardsley Rd. *Wors* —3J **21**
Armroyd La. *Hoy* —5A **28**
Armyne Gro. *B'ley* —6A **12**
Army Row. *Roy* —2K **5**
Arncliffe Dri. *B'ley* —6B **10**
Arnold Av. *B'ley* —7F **5**
Arthur St. *Wors* —3G **21**
Arundel Gdns. *Roy* —2J **5**
Arundell Dri. *B'ley* —2B **12**
Arundel Vw. *Jump* —2C **28**
Ashberry Clo. *Thurn* —7H **15**
Ashbourne Rd. *B'ley* —7G **5**
Ashby Ct. *B'ley* —7D **10**
Ash Cotts. *Womb* —2D **22**
Ash Dyke Clo. *Dart* —7H **3**
Ashfield Clo. *B'ley* —4C **10**
Ashfield Ct. *S'foot* —7K **11**
Ashford Ct. *B'ley* —1J **5**
Ash Gro. *B'ley* —1K **21**
Ashleigh. *Brie* —3J **7**
Ashley Cft. *Roy* —2H **5**
Ash Mt. *Shaf* —2E **6**
Ashover Clo. *Wors* —4G **21**
Ash Rd. *Shaf* —4F **7**

Ash Row. *B'ley* —6J **11**
Ash St. *Womb* —2C **22**
Ashwell Clo. *Shaf* —3E **6**
Ashwood Clo. *Wors* —4H **21**
Ashwood Gro. *Gt Hou* —4B **14**
Aspen Gro. *D'fld* —4J **23**
Aston Dri. *B'ley* —1G **11**
Athersley Cres. *B'ley* —1G **11**
Athersley North. —6F 5
Athersley Rd. *B'ley* —1G **11**
Athersley South. —1G 11
Attlee Cres. *D'fld* —3A **24**
Austwick Clo. *M'well* —4A **4**
Austwick Wlk. *B'ley* —5D **10**
Avenue, The. *Roy* —2A **6**
Avenue, The. *Tank* —3D **26**
Avon Clo. *Hghm* —4J **9**
Avon Clo. *Womb* —7H **23**
Avondale Dri. *B'ley* —5J **5**
Avon St. *B'ley* —6G **11**
Aylesford Clo. *B'ley* —4F **11**
Aysgarth Av. *B'ley* —7D **12**

Back La. *B'ley* —3J **11**
Back La. *Caw* —3C **8**
Back La. *Clayt* —3F **15**
Back La. *L Hou* —1D **24**
Back La. *Oxs* —7J **17**
(in two parts)
Back La. *P'stne* —5F **17**
Back La. W. *Roy* —2G **5**
Bk. Poplar Ter. *Roy* —2A **6**
Baden St. *Wors* —4H **21**
Badsworth Clo. *Womb* —6H **23**
Bagger Wood Hill. *Hood G*
—5H **19**
Bagger Wood Rd. *T'land &*
Hood G —7G **19**
Bainton Dri. *B'ley* —1D **20**
Bakehouse La. *B'ley* —4A **10**
Bakewell Rd. *B'ley* —1G **11**
Bala St. *B'ley* —6F **11**
Balk Farm Ct. *Birdw* —7E **20**
Balk La. *Birdw* —7E **20**
Balkley La. *D'fld* —3A **24**
Balk, The. *M'well* —4C **4**
Ballfield Av. *Dart* —6G **3**
Ballfield La. *Dart* —6G **3**
Balmoral Clo. *Thurls* —4C **16**
Bamford Av. *B'ley* —1G **11**
Bamford Clo. *Dod* —1J **19**
Bank End Av. *Wors* —3J **21**
Bank End Clo. *Bol D* —6G **25**
Bank End La. *Clayt W & H Hoy*
—6A **2**
Bank End Rd. *Wors* —3H **21**
Bank Ho. La. *Thurls* —6B **16**
Bank St. *B'ley* —1F **21**
Bank St. *Cud* —7D **6**
Bank St. *Hoy* —4K **27**
Bank St. *S'foot* —7A **12**
Bar Av. *M'well* —6D **4**
Barber St. *Hoy* —3A **28**
Barcroft Flatt. *B'ley* —3A **10**
Barden Dri. *B'ley* —4B **10**
Barewell Hill. *Brie* —2J **7**
(in two parts)
Barfield Rd. *Hoy* —3A **28**
Bari Clo. *D'fld* —2G **23**
Bark Ho. La. *Caw* —3A **8**
Bark Meadows. *Dod* —1A **20**
Barkston Rd. *B'ley* —7J **5**
Bar La. *M'well* —6D **4**
Barlborough Rd. *Womb* —7G **23**
Barley Vw. *Thurn* —1H **25**
Barnabas Wlk. *B'ley* —1G **11**
Barnburgh La. *Gold & Barn*
—4J **25**
Barnfold Pl. *Shaf* —4E **6**
Barn Owl Clo. *L Hou* —2D **24**
Barnside Clo. *P'stne* —6F **17**

Barnsley. —6F 11
Barnsley Boundary Wlk. *Clayt*
—4G **15**
Barnsley Bus. & Innovation Cen.
B'ley —3B **10**
Barnsley Crematorium. *B'ley*
—1C **22**
BARNSLEY DISTRICT GENERAL
HOSPITAL. —4C **10**
Barnsley F.C. —6G **11**
Barnsley Golf Course. —3D **4**
BARNSLEY HOSPICE. —4A **10**
Barnsley Rd. *Brie & Hems* —4G **7**
Barnsley Rd. *Cud* —1C **12**
Barnsley Rd. *D'fld* —1H **23**
Barnsley Rd. *Dart & Bar G* —6J **3**
Barnsley Rd. *Dod* —1J **19**
Barnsley Rd. *Gold* —3G **25**
Barnsley Rd. *Hoy* —1K **27**
Barnsley Rd. *P'stne & H'swne*
—4E **16**
Barnsley Rd. *Silk* —1B **18**
(in two parts)
Barnsley Rd. *Wath D* —1K **29**
Barnsley Rd. *Womb* —3D **22**
(in three parts)
Barnsley Rd. *Wool* —1C **4**
Barnwell Cres. *Womb* —3D **22**
Barrow. —7B 28
Barrowfield Gate. —7C 28
Barrow Fld. La. *W'wth* —7C **28**
Barrowfield Rd. *Hoy* —2K **27**
Barrowfield Rd. *Thurn* —1H **25**
Barrow Hill. *W'wth* —7A **28**
Barrow, The. *W'wth* —7B **28**
Bartholomew St. *Womb* —5E **22**
Barugh Green. —2J 9
Barugh Grn. Rd. *Bar G & B'ley*
—2J **9**
Barugh La. *Bar G* —2J **9**
Basildon Rd. *Thurn* —6G **15**
Baslow Cres. *Dod* —1J **19**
Baslow Rd. *B'ley* —1K **21**
Bateman Clo. *Cud* —4C **6**
Bateman Sq. *Thurn* —7G **15**
Batty Av. *Cud* —1C **12**
Baycliff Clo. *B'ley* —1K **11**
Bayford Way. *Womb* —5H **23**
Beacon Clo. *Silk C* —2E **18**
Beacon Ct. *Silk C* —3E **18**
Beacon Hill. *Silk C* —2E **18**
Beaconsfield St. *B'ley* —7E **10**
Beacon Vw. *Else* —4C **28**
Beaulieu Clo. *M'well* —6C **4**
Beaulieu Vw. *M'well* —6C **4**
Beaumont Av. *B'ley* —6B **10**
Beaumont Dri. *Bret & Haigh*
(in two parts) —1E **2**
Beaumont Rd. *Dart* —7G **3**
Beaumont St. *Hoy* —4H **27**
Beck Cft. *Hoy* —5J **27**
Beckett Hospital Ter. *B'ley* —7F **11**
Beckett St. *B'ley* —5F **11**
Beckfield Gro. *Bol D* —5F **25**
Becknoll Rd. *Bram* —1J **29**
Beckside. *Caw* —3C **8**
Bedale Wlk. *Shaf* —3E **6**
Bedford St. *B'ley* —1F **21**
Bedford St. *Grim* —2J **13**
Bedford Ter. *B'ley* —1J **21**
Beech Av. *Cud* —6D **6**
Beech Av. *Silk C* —3E **18**
Beech Clo. *Brie* —3J **7**
Beech Clo. *H'fld* —1E **28**
Beech Ct. *D'fld* —3J **23**
Beeches, The. *H'fld* —2F **29**
Beechfield Clo. *Bol D* —6G **25**
Beech Gro. *B'ley* —1D **20**
Beech Ho. Rd. *H'fld* —1F **29**
Beech Rd. *Shaf* —4F **7**
Beech St. *B'ley* —7F **11**

Beeston Sq. *B'ley* —6F **5**
Beever La. *B'ley* —6F **5**
Beevor St. *Gold* —3K **25**
Beevor Ct. *B'ley* —6G **11**
Beevor St. *B'ley* —6H **11**
Belgrave Rd. *B'ley* —6G **11**
Bell Bank Vw. *Wors* —3F **21**
Bellbank Way. *B'ley* —6F **5**
Bellbrooke Av. *D'fld* —1H **23**
Bellbrooke Pl. *D'fld* —1H **23**
Belle Green. —7E **6**
Belle Grn. Clo. *Cud* —7E **6**
Belle Grn. Gdns. *Cud* —7E **6**
Belle Grn. La. *Cud* —7E **6**
Bellmer Cft. *Birdw* —3F **27**
Bellwood Cres. *Hoy* —4J **27**
Belmont. *Cud* —3E **12**
Belmont Av. *B'ley* —2H **11**
Belmont Cres. *L Hou* —1C **24**
Belridge Clo. *B'ley* —3B **10**
Belvedere Clo. *Shaf* —4E **6**
Belvedere Dri. *D'fld* —1H **23**
Ben Bank Rd. *Silk C & Dod*
—3E **18**
Bence Clo. *Dart* —7J **3**
Bence Farm Ct. *Dart* —7J **3**
Bence La. *Dart* —7J **3**
Bentcliff Hill La. *Caw* —5B **8**
Bentham Dri. *B'ley* —3K **11**
Bentham Way. *M'well* —4A **4**
Bentley Clo. *B'ley* —2A **12**
Bent St. *P'stne* —4E **16**
Berkeley Cft. *Roy* —2H **5**
Berkley Clo. *Wors* —3F **21**
Berneslai Clo. *B'ley* —5E **10**
Berrydale. *Wors* —3H **21**
Berrywell Av. *P'stne* —6G **17**
Bethel St. *Hoy* —3B **28**
Bevan Clo. *Else* —3C **28**
Beverley Av. *Wors* —2F **21**
Beverley Clo. *B'ley* —7E **4**
Bewdley Ct. *Roy* —2K **5**
Bierlow Clo. *Bram* —1J **29**
Billingley. —2D 24
Billingley Dri. *Thurn* —1G **25**
Billingley Grn. La. *L Hou* —2D **24**
Billingley La. *Thurn* —1D **24**
Billingley Vw. *Bol D* —6F **25**
Bingley Clo. *B'ley* —5D **10**
Bingley St. *B'ley* —5D **10**
Biram Wlk. *Else* —5D **28**
(off Forge La.)
Birchfield Cres. *Dod* —7A **10**
Birchfield Wlk. *B'ley* —5B **10**
Birch Rd. *B'ley* —1K **21**
Bird Av. *Womb* —6E **22**
Bird La. *Oxs* —6B **18**
Birdwell. —2F 27
Birdwell Comn. *Birdw* —3F **27**
Birdwell Rd. *Dod* —2B **20**
Birk Av. *B'ley* —1J **21**
Birk Cres. *B'ley* —1J **21**
Birkdale Clo. *Cud* —6E **6**
Birkdale Rd. *Roy* —1H **5**
Birk Grn. *B'ley* —1K **21**
Birk Ho. La. *B'ley* —1K **21**
Birk Rd. *B'ley* —1J **21**
Birks Av. *Mill G* —5A **16**
Birks Cotts. *Mill G* —5A **16**
Birks La. *Mill G* —5A **16**
Birk Ter. *B'ley* —1J **21**
Birkwood Av. *Cud* —3E **12**
Birthwaite Rd. *Dart* —5F **3**
Bishops Way. *B'ley* —4J **11**
Bisley Clo. *Roy* —3A **6**
Bismarck St. *B'ley* —1F **21**
Blackburn La. *B'ley* —5D **10**
Blackburn La. *Wors* —3G **21**
Blackburn St. *Wors* —3G **21**
Blacker Grange. *Bla H* —1K **27**
Blackergreen La. *Silk* —1D **18**
Blacker Hill. —7K 21

Blacker La. *Shaf* —3E **6**
Blacker La. *Wors* —6G **21**
Blacker Rd. *M'well* —5C **4**
Blackheath Clo. *B'ley* —7H **5**
Blackheath Rd. *B'ley* —7H **5**
Blackheath Wlk. *B'ley* —7H **5**
Black Horse Clo. *Silk C* —3E **18**
Black Horse Dri. *Silk C* —3E **18**
Black La. *Hoy* —5F **27**
(in two parts)
Blacksmith Sq. *Else* —5D **28**
(off Wath Rd.)
Blake Av. *Wath D* —2K **29**
Blakeley Clo. *B'ley* —7H **5**
Bleachcroft Way. *B'ley* —1A **22**
Bleak Av. *Shaf* —4E **6**
Bleakley Av. *Notton* —1H **5**
Bleakley Clo. *Shaf* —4E **6**
Bleakley La. *Notton* —1H **5**
Bleakley Ter. *Notton* —1H **5**
Bleasdale Gro. *B'ley* —3G **11**
Blenheim Av. *B'ley* —7E **10**
Blenheim Gro. *B'ley* —7D **10**
Blenheim Rd. *B'ley* —7D **10**
Bloemfontein St. *Cud* —1C **12**
Bloomfield Ri. *Dart* —5A **4**
Bloomfield Rd. *Dart* —5K **3**
Bloomhouse. —5K 3
Bloomhouse La. *Dart* —4J **3**
Blucher St. *B'ley* —6E **10**
Bluebell Av. *P'stne* —5E **16**
Bluebell Clo. *Hoy* —5J **27**
Bluebell Rd. *Dart* —3J **3**
Blundell Ct. *B'ley* —2K **11**
Bly Rd. *D'fld* —2H **23**
Blythe St. *Womb* —5E **22**
Bodmin Ct. *B'ley* —4H **11**
Boggard La. *P'stne* —6E **16**
Bole Clo. *Womb* —4H **23**
Bolton-upon-Dearne. —6G 25
Bondfield Cres. *Womb* —6E **22**
Bondfield Cres. Flats. *Womb*
(in two parts) —6E **22**
Bond Rd. *B'ley* —4D **10**
Bond St. *Womb* —5F **23**
Booth St. *Hoy* —3A **28**
Borrowdale Clo. *B'ley* —7C **12**
Bosville St. *P'stne* —6G **17**
Boswell Clo. *Roy* —2H **5**
Boulder Bri. La. *Car* —4A **6**
Boundary Dri. *Brie* —3J **7**
Boundary St. *B'ley* —7H **11**
Bourne Ct. *M'well* —4C **4**
Bourne Rd. *Wors* —4F **21**
Bourne Wlk. *M'well* —4C **4**
Bowden Gro. *Dod* —1K **19**
Bower Hill. *Oxs* —7A **18**
Bowfell Vw. *B'ley* —3G **11**
Bowland Cres. *Wors* —4F **21**
Bowness Dri. *Bol D* —7G **25**
Bow St. *Cud* —7D **6**
Bradberry Balk La. *Womb* —4E **22**
Bradbury St. *B'ley* —6D **10**
Bradley Av. *Womb* —5E **22**
Bradshaw Clo. *B'ley* —5A **10**
Bradwell Av. *Dod* —2A **20**
Braithwaite St. *M'well* —5C **4**
Bramah St. *B'ley* —5J **5**
Brambles, The. *Roy* —2G **5**
Bramble Way. *Wath D* —3K **29**
Bramcote Av. *B'ley* —6E **4**
Bramley Carr. *B'ley* —1B **20**
Brampton. —1J 29
Brampton Bierlow. —2J 29
Brampton Cres. *Womb* —7H **23**
Brampton Ellis Enterprise Cen.
Bram B —2K **29**
Brampton Leisure Cen. —2K **29**
Brampton Rd. *Wath D* —2K **29**
Brampton Rd. *Womb* —7H **23**
Brampton St. *Bram* —1K **29**
Brampton Vw. *Womb* —7H **23**

Branksome Av. *B'ley* —6C **10**
Brendon Clo. *Womb* —1H **29**
Brentwood Clo. *Hoy* —5J **27**
Bretton Clo. *Dart* —6G **3**
Bretton Country Pk. —1D **2**
Bretton Lakes Nature Reserve.
—1B **2**
Bretton Rd. *Dart* —6G **3**
Bretton Vw. *Cud* —2C **12**
Briar Gro. *Brie* —3J **7**
Briar Gro. *P'stne* —6F **17**
Briar Ri. *Wors* —4G **21**
Brickyard, The. *Shaf* —5E **6**
Bridge End. —4E 16
Bridge Gdns. *B'ley* —4F **11**
Bridge La. *Thurn* —1H **25**
Bridge St. *B'ley* —4F **11**
Bridge St. *Bol D* —5H **25**
Bridge St. *Dart* —5J **3**
Bridge St. *P'stne* —4E **16**
Brierley. —3H 7
Brierley Clo. *Dart* —6A **4**
Brierley Rd. *Grim & Brie* —5H **7**
Brierley Rd. *Shaf* —4F **7**
Brierley Rd. *S Hien* —1F **7**
Briery Meadows. *H'fld* —1E **28**
Briggs St. *B'ley* —5J **5**
Brighton St. *Grim* —7J **7**
Brinckman St. *B'ley* —7F **11**
Britannia Clo. *B'ley* —7F **11**
Britannia Ho. *B'ley* —7F **11**
Britland Clo. *B'ley* —5A **10**
Briton Sq. *Thurn* —6J **15**
Briton St. *Thurn* —6J **15**
Broadcarr Rd. *Hoy* —7K **27**
Broad Gates. *Silk* —7D **8**
Broad St. *Hoy* —3K **27**
Broadwater. *Bol D* —6E **24**
Broadway. *B'ley* —6B **10**
Broadway. *M'well* —5B **4**
Broadway Ct. *B'ley* —6B **10**
Brockfield Clo. *Wors* —3G **21**
Brocklehurst Av. *B'ley* —2K **21**
Bromcliffe Pk. *B'ley* —2A **12**
Bromfield Ct. *Roy* —2K **5**
Bromley. —7A 26
Bromley Carr Rd. *Wort* —7B **26**
Bronte Clo. *B'ley* —4H **11**
Brooke St. *Hoy* —3K **27**
Brookfield. *Oxs* —7K **17**
Brookfield Ter. *B'ley* —6J **5**
Brookhill Rd. *Dart* —6F **3**
Brook Houses. *Caw* —3C **8**
Brookside Cres. *Wath D* —4K **29**
Brookside Dri. *B'ley* —2K **11**
Brookvale. *B'ley* —4K **11**
Broomcliffe Gdns. *Shaf* —4E **6**
Broom Clo. *B'ley* —2K **21**
Broom Clo. *Bol D* —5F **25**
Broom Clo. *Dart* —5A **4**
Broomcroft. *Dod* —2B **20**
Broomfield Clo. *B'ley* —7B **10**
Broom Fld. Wlk. *P'stne* —6E **16**
Broomhead Ct. *M'well* —6B **4**
Broomhead Rd. *Womb* —7H **23**
Broomhill. —6K 23
Broomhill La. *Bol D* —5A **24**
Broomhill Vw. *Bol D* —7F **25**
Broomroyd. *Wors* —4H **21**
Brough Grn. *Dod* —3A **20**
Brow Clo. *Wors* —2F **21**
Browning Clo. *B'ley* —2H **11**
Browning Rd. *Wath D* —2K **29**
Brownroyd Av. *Roy* —4J **5**
Browns Sq. *H'fld* —2D **28**
Brow Vw. *Bol D* —6F **25**
Bruce Av. *B'ley* —1F **21**
Brunswick Clo. *B'ley* —1F **11**
Brunswick St. *Thurn* —6J **15**
Buckden Rd. *B'ley* —5D **10**
Buckingham Ct. *Roy* —2H **5**

Buckingham Way. *Roy* —2H **5**
Buckley Ct. *B'ley* —7F **11**
Buckley Ho. *B'ley* —7F **11**
Bude Ct. *B'ley* —4J **11**
Bull Haw La. *Silk* —7C **8**
(in two parts)
Burcroft Clo. *Hoy* —4H **27**
Burleigh Ct. *B'ley* —6F **11**
Burleigh St. *B'ley* —7F **11**
Burlington Arc. *B'ley* —6F **11**
(off Eldon St.)
Burnett Clo. *P'stne* —6G **17**
Burnham Av. *M'well* —5B **4**
Burnham Way. *D'fld* —3H **23**
Burn Pl. *B'ley* —7E **4**
Burnsall Gro. *B'ley* —2K **21**
Burnside. *Thurn* —6G **15**
Burntwood Clo. *Thurn* —1F **25**
Burntwood Rd. *Grim* —1K **13**
Burrows Gro. *Womb* —5D **22**
Burton Av. *B'ley* —3K **11**
Burton Bank Rd. *B'ley* —4G **11**
(in two parts)
Burton Cres. *B'ley* —2A **12**
Burton Rd. *B'ley* —4G **11**
Burton Rd. Bus. Pk. *B'ley* —2A **12**
Burton St. *B'ley* —4E **10**
Burton Ter. *B'ley* —7H **11**
Burtop Cft. *H'fld* —2E **28**
Burying La. *W'wth* —6A **28**
Butcher St. *Thurn* —7G **15**
Buttercross Dri. *L Hou* —7A **14**
Butterfield Ct. *Bram* —1J **29**
Butterley Dri. *B'ley* —2K **21**
Butterleys. *Dod* —1A **20**
Buttermere Clo. *Bol D* —7G **25**
Buttermere Way. *B'ley* —7D **12**
Butterton Clo. *M'well* —5C **4**
Buxton Rd. *B'ley* —7G **5**
Byath La. *Cud* —1D **12**
Byland Way. *B'ley* —5K **11**
Byrne Clo. *Bar G* —3J **9**
Byron Dri. *B'ley* —3H **11**
Byron St. *Gt Hou* —6C **14**

Cadwell Clo. *Cud* —6E **6**
Caernarvon Cres. *Bol D* —6F **25**
Caistor Av. *B'ley* —1C **20**
Calder Av. *Roy* —3A **6**
Calder Cres. *B'ley* —1K **21**
Calder Rd. *Bol D* —7H **25**
Caldervale. *Roy* —2A **6**
California Cres. *B'ley* —1F **21**
California Gdns. *B'ley* —7F **11**
California St. *B'ley* —1E **20**
California Ter. *B'ley* —1E **20**
Callis La. *P'stne* —7G **17**
Callis Way. *P'stne* —6F **17**
Calver Clo. *Dod* —2A **20**
Calvert St. *Hoy* —4H **27**
Calvey Orchard. *Cud* —7E **6**
Camborne Way. *B'ley* —4H **11**
Campion Clo. *Bol D* —5F **25**
Canada St. *B'ley* —1E **20**
Canal St. *B'ley* —4F **11**
Canal Way. *B'ley* —4F **11**
Canberra Ri. *Bol D* —6F **25**
Cannon Hall Country Pk. —2A 8
Cannon Hall Mus. & Visitor Cen.
—2A 8
Cannon Hall Open Farm. —2A 8
Cannon Way. *B'ley* —2K **9**
Canons Way. *B'ley* —4J **11**
Capri Ct. *D'fld* —2G **23**
Carbis Clo. *B'ley* —4H **11**
Carey Av. *B'ley* —5G **11**
Carlton. —5K 5
Carlton Green. —6K 5
Carlton Ho. *Cud* —7D **6**
Carlton Ind. Est. *B'ley* —1J **11**
(in two parts)

Carlton Ind. Est. *Car* —7J **5**
Carlton Marsh Nature Reserve.
—6B 6
Carlton Rd. *B'ley* —2G **11**
Carlton St. *B'ley* —3E **10**
Carlton St. *Cud* —7D **6**
Carlton St. *Grim* —1J **13**
Carlton Ter. *Car* —5A **6**
Carnforth Rd. *B'ley* —2K **11**
Carnley St. *Wath D* —2K **29**
Carrfield Clo. *Dart* —6H **3**
Carr Fld. La. *Bol D* —5F **25**
Carr Furlong. *B'ley* —5F **5**
Carr Grn. *Bol D* —5G **25**
Carr Grn. *M'well* —6C **4**
Carr Grn. La. *M'well* —7C **4**
Carr Head La. *Bol D* —5C **24**
Carr Head La. *P'stne* —1D **16**
Carr Head Rd. *Wort* —7B **26**
Carrington Av. *B'ley* —3E **10**
Carrington St. *B'ley* —4D **10**
Carr La. *P'stne* —1C **16**
Carr La. *Wort & Tank* —5B **24**
Carron Dri. *M'well* —6C **4**
Carrs La. *Cud* —2D **12**
Carr St. *B'ley* —2K **11**
Carrwood Rd. *B'ley* —6A **12**
Cartmel Ct. *B'ley* —7K **5**
Castle Clo. *Dod* —2A **20**
Castle Clo. *Monk B* —4H **11**
Castle Clo. *P'stne* —6G **17**
Castle Dri. *Hood G* —6J **19**
Castle Green. —6G 17
Castle La. *P'stne* —6G **17**
Castlereagh St. *B'ley* —6E **10**
Castle St. *B'ley* —7E **10**
Castle St. *P'stne* —6G **17**
Castle Vw. *Birdw* —1E **26**
Castle Vw. *Dod* —7K **9**
Castle Vw. *Hood G* —6J **19**
Catania Ri. *D'fld* —2G **23**
Cat Hill. —1F 17
Cat Hill La. *P'stne* —1F **17**
Cathill Rd. *Bol D* —4A **24**
Cathill Roundabout. *D'fld* —3C **24**
Caulk La. *Swait* —3A **22**
(in three parts)
Cavendish Rd. *B'ley* —4E **10**
Cawley Pl. *B'ley* —3G **11**
Cawthorne. —2D 8
Cawthorne Clo. *Dod* —2A **20**
Cawthorne La. *Dart* —2D **8**
Cawthorne Rd. *Bar G* —2G **9**
Caxton St. *B'ley* —5E **10**
Caythorpe Clo. *Lund* —2C **12**
Cayton Clo. *B'ley* —7E **4**
Cedar Clo. *Roy* —2G **5**
Cedar Cres. *B'ley* —1H **21**
Celandine Gro. *D'fld* —4J **23**
Cemetery Rd. *B'ley* —7G **11**
Cemetery Rd. *Bol D* —7G **25**
Cemetery Rd. *Grim* —7J **7**
Cemetery Rd. *Jump* —2C **28**
Cemetery Rd. *Womb* —5F **23**
Central Av. *Grim* —6J **7**
Central Dri. *Roy* —3J **5**
Central St. *Gold* —2G **25**
Central St. *Hoy* —4H **27**
Challenger Cres. *Thurn* —6G **15**
Chambers Rd. *Hoy* —2K **27**
Chancel Way. *B'ley* —4J **11**
Chantry Gro. *Roy* —3J **5**
Chapel Av. *Bram* —1J **29**
Chapel Clo. *Birdw* —2E **26**
Chapel Clo. *Shaf* —3E **6**
Chapel Ct. *Birdw* —2E **26**
Chapel Fld. La. *P'stne* —6E **16**
Chapel Fld. Wlk. *P'stne* —6E **16**
Chapel Hill. *Bla H* —7K **21**
Chapel Hill. *Clayt* —3G **15**
Chapel La. *B'ley* —6J **5**

Chapel La. *Gt Hou* —7A **14**
Chapel La. *L Hou* —2D **24**
Chapel La. *P'stne* —6E **16**
Chapel La. *Thurn* —6K **15**
Chapel Pl. *B'ley* —7B **12**
Chapel Rd. *Tank* —3C **26**
Chapel St. *B'ley* —7B **12**
Chapel St. *Birdw* —2E **26**
Chapel St. *Bol D* —6G **25**
Chapel St. *Grim* —1J **13**
Chapel St. *Hoy* —4H **27**
Chapel St. *Shaf* —3E **6**
Chapel St. *Thurn* —7G **15**
Chapel Vw. *Thurls* —4C **16**
  (off View Rd.)
Chapman St. *Thurn* —7J **15**
Chappell Clo. *H'swne* —2H **17**
Chappell Rd. *H'swne* —2H **17**
Chapter Way. *B'ley* —4J **11**
Chapter Way. *Silk* —6E **8**
Charity St. *B'ley* —1B **12**
Charles St. *B'ley* —7E **10**
Charles St. *Cud* —6E **6**
Charles St. *Gold* —3H **25**
Charles St. *Grim* —1J **13**
Charles St. *L Hou* —1C **24**
Charles St. *S Hien* —1G **7**
Charles St. *Wors* —4G **21**
Charter Arc. *B'ley* —6F **11**
Chatsworth Ri. *Dod* —1J **19**
Chatsworth Rd. *B'ley* —1G **11**
Cheapside. *B'ley* —6F **11**
Chedworth Clo. *Dart* —7J **3**
Cherry Clo. *Cud* —6D **6**
Cherry Clo. *Roy* —2G **5**
Cherry Gro. *Gold* —3G **25**
Cherry Hills. *Dart* —5A **4**
Cherrys Rd. *B'ley* —5K **11**
Cherry Tree Clo. *M'well* —5C **4**
Cherry Tree St. *Hoy & Else*
  —3B **28**
Chesham Rd. *B'ley* —6D **10**
Chestnut Av. *Brie* —4H **7**
Chestnut Ct. *B'ley* —1F **21**
Chestnut Cres. *B'ley* —1H **21**
Chestnut Dri. *S Hien* —1F **7**
Chestnut Gro. *Thurn* —1H **25**
Chestnut St. *Grim* —2K **13**
Chevet Ri. *Roy* —2H **5**
Chevet Vw. *Roy* —2K **5**
Cheviot Wlk. *B'ley* —5B **10**
Chilcombe Pl. *Birdw* —3F **27**
Chiltern Wlk. *B'ley* —5B **10**
Chilton St. *B'ley* —7G **11**
Chilwell Clo. *B'ley* —5F **5**
Chilwell Gdns. *B'ley* —5F **5**
Chilwell M. *B'ley* —5F **5**
Christchurch Rd. *Wath D*
  —2K **29**
Church Clo. *Dart* —6J **3**
Church Dri. *Brie* —4H **7**
Church Dri. *W'wth* —7C **28**
Churchfield. *B'ley* —5E **10**
Churchfield Av. *Cud* —1D **12**
Churchfield Av. *Dart* —6G **3**
Churchfield Clo. *Dart* —6F **3**
Churchfield Ct. *B'ley* —5E **10**
Churchfield Ct. *Dart* —6H **3**
Churchfield Cres. *Cud* —1D **12**
Churchfield Gdns. *Car* —5K **5**
Church Fld. La. *W'wth* —7C **28**
Church Fld. Rd. *Clayt* —3G **15**
Churchfields Clo. *B'ley* —5E **10**
Churchfield Ter. *Cud* —1D **12**
Church Fold. *B'ley* —5E **10**
Church Gro. *B'ley* —3J **11**
Church Heights. *H'swne* —1H **17**
Church Hill. *Roy* —3K **5**
Church La. *B'ley* —5E **10**
Church La. *Caw* —3D **8**
Church La. *H Hoy* —5A **2**

Church La. *H'swne* —1H **17**
Church La. *S Hien* —1C **6**
Church La. *Tank* —6E **26**
Church La. *Wors* —6F **21**
Church Lea. *Hoy* —5A **28**
Church M. *Bol D* —7G **25**
Church Rd. *Caw* —3C **8**
Church St. *B'ley* —5E **10**
Church St. *Bol D* —6G **25**
Church St. *Brie* —3H **7**
Church St. *Car* —5K **5**
Church St. *Caw* —2D **8**
Church St. *Cud* —1D **12**
Church St. *D'fld* —3K **23**
Church St. *Dart* —6J **3**
Church St. *Else* —4C **28**
Church St. *Gawber* —4A **10**
Church St. *Gt Hou* —5C **14**
Church St. *Jump* —2B **28**
Church St. *M'well* —5C **4**
Church St. *P'stne* —5F **17**
Church St. *Roy* —3J **5**
Church St. *Thurn* —7G **15**
Church St. *Womb* —6F **23**
Church St. Clo. *Thurn* —7G **15**
Church Ter. *Dod* —1J **19**
Church Vw. *B'ley* —4D **10**
Church Vw. *Cud* —1D **12**
Church Vw. *D'fld* —3A **24**
Church Vw. *Hoy* —4H **27**
Church Vw. Cres. *P'stne* —5F **17**
Church Vw. Rd. *P'stne* —5F **17**
Church Wlk. *Thurn* —7G **15**
  (off Church St.)
Churcroft. *B'ley* —3A **10**
Cinder Hills Way. *Dod* —1A **20**
Clanricarde St. *B'ley* —3E **10**
Claphouse Fold. *Haigh* —1E **2**
Clarehurst Rd. *D'fld* —2J **23**
Clarel Clo. *P'stne* —6E **16**
Clarel St. *P'stne* —6E **16**
Clarence Rd. *B'ley* —3H **11**
Clarence Ter. *Thurn* —7J **15**
  (off Stuart St.)
Clarendon St. *B'ley* —6D **10**
Clarkes Cft. *Womb* —5F **23**
Clarke St. *B'ley* —4D **10**
Clarke St. *Thurn* —7J **15**
Clarkson St. *Wors* —3J **21**
Clark St. *Hoy* —2K **27**
Clarney Av. *D'fld* —2H **23**
Clarney Pl. *D'fld* —2J **23**
Clayburn Rd. *Grim* —2H **13**
Claycliffe Av. *B'ley* —3K **9**
Claycliffe Bus. Pk. *B'ley* —2K **9**
Claycliffe Rd. *Bar G & B'ley* —1K **9**
Claycliffe Ter. *B'ley* —7D **10**
Claycliffe Ter. *Gold* —3J **25**
Clayfield Rd. *Hoy* —1K **27**
Clayroyd. *Wors* —4H **21**
Clayton. —3G 15
Clayton Av. *Thurn* —6F **15**
Clayton Dri. *Thurn* —7F **15**
Clayton La. *Thurn & Clayt* —6F **15**
Clear Vw. *Grim* —6J **7**
Clevedon Way. *Roy* —2H **5**
Cliff Dri. *D'fld* —3A **24**
Cliffe Av. *Wors* —3H **21**
Cliffe Clo. *Brie* —3H **7**
Cliffe Ct. *B'ley* —4J **11**
Cliffe Cres. *Dod* —1J **19**
Cliffedale Cres. *Wors* —2H **21**
Cliffe Hill. *Caw* —2C **8**
Cliffe La. *B'ley* —4J **11**
Cliffe Rd. *Bram* —1J **29**
Cliff La. *Brie* —4G **7**
Clifford St. *Cud* —5E **6**
Cliff Rd. *D'fld* —3A **24**
Cliff Ter. *B'ley* —6G **11**
Clifton Av. *B'ley* —6E **10**
Clifton Clo. *B'ley* —6E **4**
Clifton Gdns. *Brie* —3G **7**

Clifton Rd. *Grim* —7J **7**
Clifton St. *B'ley* —7G **11**
Clifton St. *Hems* —1K **7**
Clipstone Av. *B'ley* —6F **5**
Cloisters, The. *Wors* —6F **21**
Cloisters Way. *B'ley* —4K **11**
Close, The. *B'ley* —4A **12**
Close, The. *Car* —5J **5**
Close, The. *Clayt* —3G **15**
Cloudberry Way. *M'well* —6D **4**
Clough Fields Rd. *Hoy* —4J **27**
Clough Head. *P'stne* —7F **17**
Clough Rd. *Hoy* —4K **27**
Cloverlands Dri. *M'well* —6C **4**
Clover Wlk. *Bol D* —5F **25**
Club St. *B'ley* —3J **11**
Club St. *Hoy* —4H **27**
Clumber St. *B'ley* —5C **10**
Clyde St. *B'ley* —6F **11**
Coach Ho. La. *B'ley* —2F **21**
Coalby Wlk. *B'ley* —5E **10**
  (off Prospect St.)
Coal Pit La. *Brie* —4F **7**
Coal Pit La. *Cud* —2F **13**
Coates La. *Oxs & Silk C* —6B **18**
Cobcar Av. *Else* —4D **28**
Cobcar Clo. *Else* —3C **28**
Cobcar La. *Else* —3C **28**
Cobcar St. *Else* —4C **28**
Cockerham Av. *B'ley* —4E **10**
Cockerham La. *B'ley* —4E **10**
Cockpit La. *P'stne* —5F **17**
Cockshot Pit La. *M'well* —6A **4**
Coldwell's Fold. *Thurls* —4C **16**
Coleridge Av. *B'ley* —3H **11**
Coleridge Rd. *Wath D* —4K **29**
Coley La. *W'wth* —7F **29**
College Ter. *D'fld* —3J **23**
Colley Av. *B'ley* —2J **21**
Colley Cres. *B'ley* —1J **21**
Colley Pl. *B'ley* —1J **21**
Colliery La. *Thurn* —2H **25**
Colliery Yd. *Tank* —5D **26**
Collindridge Rd. *Womb* —6F **23**
Collins Clo. *Dod* —1J **19**
Colster Clo. *B'ley* —5A **10**
Coltfield. *Birdw* —7F **11**
Columbia St. *B'ley* —1E **20**
Commercial Rd. *Gold* —4G **25**
Commercial St. *B'ley* —7G **11**
Common La. *Bol D* —7H **25**
  (in two parts)
Common La. *Clayt* —1F **15**
  (in two parts)
Common La. *Roy* —2J **5**
  (in two parts)
Common Rd. *Brie* —4J **7**
Common Rd. *Thurn* —7F **15**
Commonwealth Vw. *Bol D* —6F **25**
Cone La. *Silk* —1E **18**
Coniston Av. *Dart* —4A **4**
Coniston Clo. *P'stne* —4F **17**
Coniston Dri. *Bol D* —7G **25**
Coniston Rd. *B'ley* —6G **11**
Conway Pl. *Womb* —7H **23**
Conway St. *B'ley* —7K **11**
Co-operative Cotts. *Brie* —3H **7**
Co-operative St. *Cud* —1C **12**
Co-operative St. *Gold* —3J **25**
Cooper Gallery. —5F **11**
Cooper La. *H'swne* —1J **17** & 7A **8**
Cooper Rd. *Dart* —6G **3**
Copeland Rd. *Womb* —6E **22**
Cope St. *B'ley* —1F **21**
Copperas Clo. *Mill G* —5A **16**
Copper Clo. *B'ley* —7F **11**
Coppice Av. *B'ley* —3B **10**
Copster. —7B 18
Copster La. *Oxs* —6B **18**
Cornwall Clo. *B'ley* —3H **11**
Coronation Av. *Grim* —1J **13**
Coronation Av. *Roy* —2A **6**

Coronation Av. *Shaf* —3D **6**
Coronation Cres. *Birdw* —7F **21**
Coronation Dri. *Birdw* —7F **21**
Coronation Dri. *Bol D* —6F **25**
Coronation Rd. *Bar G* —3H **9**
Coronation Rd. *Hoy* —3K **27**
Coronation St. *B'ley* —3J **11**
Coronation St. *D'fld* —2K **23**
Coronation St. *Thurn* —7J **15**
Coronation Ter. *B'ley* —7B **12**
Coronation Ter. *H'fld* —1E **28**
Corporation St. *B'ley* —1G **11**
Cortina Ri. *D'fld* —2G **23**
Cortonwood Dri. *Bram* —1H **29**
Cortworth La. *W'wth* —7F **29**
Cortworth Pl. *Else* —3D **28**
Cotswold Clo. *B'ley* —5B **10**
Cotterdale Gdns. *Womb* —5H **23**
Cottesmore Clo. *B'ley* —4C **10**
County Ct. *B'ley* —5F **11**
County Way. *B'ley* —5F **11**
  (in two parts)
Courtyard, The. *B'ley* —6A **10**
Cover Dri. *D'fld* —2K **23**
Cowley Grn. *Womb* —6D **22**
Crabtree Ct. *B'ley* —7B **12**
Crabtree Dri. *Gt Hou* —4B **14**
Crab Tree Hill La. *H'swne* —2G **17**
Cramlands. *Dod* —1A **20**
Cranborne Dri. *Dart* —5K **3**
Cranbrook St. *B'ley* —7D **10**
Crane Well La. *Bol D* —6J **25**
Cranford Gdns. *Roy* —2H **5**
Cranston Clo. *B'ley* —3K **11**
Cranwell Ct. *Gold* —4G **25**
Craven Clo. *Roy* —2H **5**
Craven Wood Clo. *B'ley* —4A **10**
Crescent, The. *B'ley* —3B **10**
Crescent, The. *Bol D* —5H **25**
Crescent, The. *Cud* —7D **6**
Crescent, The. *Hood G* —6J **19**
Cresswell St. *B'ley* —5C **10**
Crich Av. *B'ley* —7G **5**
Croft Av. *Roy* —3H **5**
Croft Dri. *M'well* —5A **4**
Croft Dri. *Mill G* —5A **16**
Crofton Dri. *Bol D* —5G **25**
Croft Rd. *B'ley* —1J **21**
Croft Rd. *Hoy* —2K **27**
Croft St. *Wors* —3G **21**
Croft, The. *B'ley* —2J **9**
Croft, The. *Else* —5C **28**
Croft, The. *H'swne* —2H **17**
Cromford Av. *B'ley* —1H **11**
Crompton Av. *B'ley* —7D **10**
Cromwell Mt. *Wors* —2G **21**
Cromwell St. *Thurn* —6J **15**
Cronkhill La. *B'ley* —5K **5**
  (in two parts)
Crooke Ho. La. *B'ley* —6H **13**
Crookes La. *B'ley* —5H **5**
  (in two parts)
Crookes St. *B'ley* —6D **10**
Cropton Rd. *Roy* —3H **5**
Crosby Ct. *B'ley* —2K **11**
Crosby St. *Cud* —6D **6**
Cross Butcher St. *Thurn* —7G **15**
Crossgate. *M'well* —5B **4**
Crossgate. *Thurn* —1H **25**
Cross Hill. *Brie* —3H **7**
Cross Keys La. *Hoy* —3G **27**
Cross La. *H'swne* —1H **17**
Cross La. *Roy* —3A **6**
Cross La. *Thurls* —6B **16**
Cross La. *Wort* —7A **26**
Cross St. *B'ley* —4D **10**
Cross St. *Bar G* —3H **9**
Cross St. *Gold* —3K **25**
Cross St. *Gt Hou* —6C **14**
Cross St. *Grim* —1K **13**
Cross St. *Hoy* —4H **27**
Cross St. *Monk B* —3J **11**

Cross St. *Wors* —2H **21**
Cross, The. *Silk* —1D **18**
Crossways. *Bol D* —6G **25**
Crowden Wlk. *B'ley* —6A **10**
Crown Av. *B'ley* —1G **21**
Crown Av. *Cud* —3E **12**
Crown Clo. *B'ley* —1G **21**
Crown Hill Rd. *B'ley* —6A **10**
Crown St. *B'ley* —1G **21**
Crown St. *Hoy* —3K **27**
Crown Well Ct. *B'ley* —7B **12**
(off Coronation Ter.)
Crown Well Hill. *Ard* —7B **12**
Crummock Way. *B'ley* —7D **12**
Cubley. —7E **16**
Cubley Brook Ct. *P'stne* —6E **16**
Cudley Ri. Rd. *P'stne* —7E **16**
Cudworth. —7D **6**
Cudworth Common. —3F **13**
Cudworth Vw. *Grim* —1J **13**
Cumberland Clo. *Hoy* —2A **28**
Cumberland Clo. *Wors* —3F **21**
Cumberland Dri. *B'ley* —7B **12**
Cumberland Rd. *Hoy* —2A **28**
Cumberland Way. *Bol D* —7G **25**
Cumbrian Wlk. *B'ley* —5B **10**
Cundy Cross. —6A **12**
Cutlers Av. *B'ley* —7D **10**
Cutts Fld. Vw. *Roy* —1H **5**
Cutty La. *B'ley* —4D **10**
Cypress Rd. *B'ley* —1H **21**

Dale Clo. *B'ley* —7G **5**
Dale Grn. Rd. *Wors* —4F **21**
Dale Gro. *Bol D* —7F **25**
Daleswood Av. *B'ley* —6B **10**
Daleswood Dri. *Wors* —3K **21**
Dalton Ter. *B'ley* —7G **11**
Damsteads. *Dod* —1A **20**
Dane St. *Thurn* —7J **15**
Dane St. N. *Thurn* —7J **15**
Dane St. S. *Thurn* —7J **15**
Darfield. —3J **23**
Darfield Rd. *Cud* —2E **12**
Darhaven. *D'fld* —2J **23**
Dark La. *B'ley* —1B **20**
Dark La. *Caw* —2C **8**
Dark La. *Wors* —5H **21**
Darley. *Wors* —3J **21**
Darley Av. *B'ley* —1G **11**
Darley Av. *Wors* —2E **20**
Darley Cliff Cotts. *Wors* —2H **21**
Darley Clo. *B'ley* —7G **5**
Darley Ter. *B'ley* —5D **10**
Darley Yd. *Wors* —3H **21**
Darrington Pl. *B'ley* —4A **12**
Darton. —5J **3**
Darton Hall Clo. *Dart* —5K **3**
Darton Hall Dri. *Dart* —5K **3**
Darton La. *Dart & M'well* —6K **3**
Darton Rd. *Caw* —2D **8**
Darton St. *B'ley* —7K **11**
Dartree Clo. *D'fld* —2H **23**
Dartree Wlk. *D'fld* —2H **23**
Darwin Yd. *Else* —5D **28**
(off Distillery Side)
Davey Rd. *Thurn* —2H **25**
Daw Cft. Av. *Wors* —3G **21**
Dayhouse La. *B'ley* —2B **10**
Dayhouse Way. *B'ley* —3B **10**
Daykin Clo. *Dart* —6H **3**
Day St. *B'ley* —7E **10**
Deacons Way. *B'ley* —4J **11**
Dean St. *B'ley* —6D **10**
Deans Way. *B'ley* —3J **11**
Dearne. —5G **25**
Dearne Clo. *Womb* —7H **23**
Dearne Hall Fold. *Bar G* —1K **9**
Dearne Hall Rd. *Bar G* —1K **9**
Dearne Rd. *Bram* —1J **29**

Dearne Rd. *Wath D & Bol D*
—7E **24**
Dearne Rd. Flatlets. *Bol D* —7F **25**
(off Dearne Rd.)
Dearneside Leisure Cen. &
Swimming Pool. —4J **25**
Dearne St. *Dart* —5K **3**
Dearne St. *Gt Hou* —6C **14**
Dearne Valley Parkway. *Hoy &
Womb* —3G **27**
Dearne Valley Parkway. *L Hou*
—3C **24**
Dearne Valley Parkway.
Womb & Wath D —7J **23**
Dearne Vw. *Gold* —3H **25**
Dearnley Vw. *B'ley* —3D **10**
Deepcar La. *Cud* —4G **13**
Deepdale Cft. *Bar G* —2K **9**
Deightonby St. *Thurn* —7J **15**
De Lacy Dri. *Wors* —3G **21**
Della Av. *B'ley* —7D **10**
Dell Av. *Grim* —6J **7**
Delph Clo. *Silk* —6E **8**
Denby Rd. *B'ley* —7F **5**
Denton St. *B'ley* —5F **11**
Derby St. *B'ley* —6D **10**
Derry Gro. *Thurn* —1G **25**
Derwent Clo. *B'ley* —7H **5**
Derwent Cres. *B'ley* —7H **5**
Derwent Gdns. *Gold* —4J **25**
Derwent Pl. *Womb* —7H **23**
Derwent Rd. *B'ley* —7G **5**
Derwent Way. *Wath D* —1K **29**
Devonshire Dri. *B'ley* —3D **10**
Diamond St. *Womb* —5F **23**
Dickinson Pl. *B'ley* —1F **21**
Dickinson Rd. *B'ley* —1F **21**
Dike Hill. *Harl* —7A **28**
Dillington Rd. *B'ley* —1F **21**
Dillington Sq. *B'ley* —1F **21**
Dillington Ter. *B'ley* —1F **21**
(off Hornby St.)
Distillery M. *Else* —5D **28**
Distillery Side. *Else* —5D **28**
Dobie St. *B'ley* —7F **11**
Dobroyd Ter. *Jump* —2B **28**
Dobsyke Clo. *Wors* —3K **21**
Dodworth. —1K **19**
Dodworth Bottom. —2K **19**
Dodworth Bus. Pk. *Dod* —7H **9**
Dodworth Grn. Rd. *Dod* —2H **19**
Dodworth Rd. *B'ley* —7A **10**
Doe La. *Wors* —5E **20**
Dog Hill. *Shaf* —3D **6**
Dog Hill Dri. *Shaf* —3E **6**
Dog La. *B'ley* —6E **10**
Doles Av. *Roy* —3H **5**
Doles Cres. *Roy* —3H **5**
Doncaster Rd. *B'ley & S'foot*
—6F **11**
Doncaster Rd. *D'fld* —2K **23**
Doncaster Rd. *Gold & Hick*
—3J **25**
Don Dri. *B'ley* —1K **21**
Don St. *P'stne* —6H **17**
Don Ter. *Thurls* —4D **16**
Dorchester Pl. *Wors* —3F **21**
Dorothy Hyman Sports Cen.
—1E **12**
Doubting La. *P'stne* —7E **16**
Dovebush Way. *Bar G* —2K **9**
Dovecliffe Rd. *Womb* —5A **22**
Dove Clo. *Bol D* —6H **25**
Dove Clo. *Womb* —7H **23**
Dovecote M. *Monk B* —3J **11**
Dovedale. *Wors* —4H **21**
Dovedale Pl. *Wors* —4H **21**
Dove Hill. *Roy* —2K **5**
Dove Rd. *Womb* —7H **23**
Doveside Dri. *D'fld* —4H **23**
Dove Valley Trail. *Silk C* —3E **18**
Dove Valley Trail. *Wors* —4J **21**

Downes Cres. *B'ley* —4B **10**
Downing Sq. *P'stne* —6F **17**
Dransfield Av. *P'stne* —6F **17**
Drury Farm Ct. *B'ley* —6A **10**
Dryden Rd. *B'ley* —5G **11**
Duke Cres. *B'ley* —7F **11**
Duke St. *B'ley* —7F **11**
Duke St. *Grim* —1J **13**
Duke St. *Hoy* —3A **28**
Dumfries Row. *B'ley* —1G **21**
Dunmere Clo. *B'ley* —2G **11**
Dyer Rd. *Jump* —2C **28**
Dyson St. *B'ley* —1D **20**

Eaden Cres. *Hoy* —3B **28**
Eaming Vw. *B'ley* —4G **11**
Earlsmere Dri. *B'ley* —7C **12**
Earnshaw Ter. *B'ley* —4D **10**
East Av. *Womb* —5D **22**
East Cft. *Bol D* —6G **25**
E. End Cres. *Roy* —3A **6**
Eastfield. —6F **19**
Eastfield Av. *P'stne* —5F **17**
Eastfield Clo. *M'well* —6D **4**
Eastfield Cres. *M'well* —6D **4**
Eastfield La. *T'land & Hood G*
—7E **18**
Eastfields. *Wors* —4H **21**
Eastgate. *B'ley* —5E **10**
Eastmoor Gro. *B'ley* —4J **5**
East Pinfold. *Roy* —3J **5**
East Rd. *Oxs* —7J **17**
East St. *D'fld* —2J **23**
East St. *Gold* —2K **25**
East St. *S Hien* —1G **7**
East Vw. *Cud* —7D **6**
East Vw. *Jump* —2B **28**
Ebenezer Pl. *Else* —4C **28**
Ebenezer St. *Gt Hou* —6D **14**
Ecklands Long La. *P'stne* —7A **16**
Edale Ri. *Dod* —1J **19**
Edderthorpe. —7J **13**
Edderthorpe La. *D'fld* —7J **13**
Eddyfield Rd. *Oxs* —6J **17**
Eden Clo. *Bar G* —2J **9**
Edenfield Clo. *B'ley* —1K **11**
Edgecliffe Pl. *B'ley* —2G **11**
Edgehill Rd. *M'well* —4A **4**
Edgelands Ri. *Cud* —2D **12**
Edinburgh Av. *Bol D* —6F **25**
Edinburgh Clo. *B'ley* —3H **11**
Edinburgh Rd. *Hoy* —2A **28**
Edmonton Clo. *B'ley* —5A **10**
Edmunds Rd. *Wors* —4J **21**
Edmund St. *Wors* —4G **21**
Edna St. *Bol D* —6G **25**
Edward Clo. *B'ley* —1J **21**
Edward Rd. *Gold* —4G **25**
Edward Rd. *Wath D* —1K **29**
Edward St. *D'fld* —2J **23**
Edward St. *Gt Hou* —6C **14**
Edward St. *Hoy* —3K **27**
Edward St. *M'well* —6C **4**
Edward St. *Thurn* —7G **15**
Edward St. *Womb* —5G **23**
Edwins Clo. *B'ley* —7F **5**
Egmanton Rd. *B'ley* —5F **5**
Eldon Arc. *B'ley* —6F **11**
(off Eldon St.)
Eldon St. *B'ley* —6F **11**
Eldon St. N. *B'ley* —5F **11**
Elizabeth Av. *S Hien* —1G **7**
Elizabeth St. *Gold* —3J **25**
Elizabeth St. *Grim* —1J **13**
Elland Clo. *B'ley* —7E **4**
Ellavale. *Else* —3C **28**
Ellington Ct. *B'ley* —1C **20**
Elliott Av. *Womb* —7F **23**
Elliott Clo. *Wath D* —2K **29**
Ellis Ct. *H'fld* —1E **28**
Ellis Cres. *Bram* —2J **29**

Elliston Av. *M'well* —5C **4**
Elmbridge Clo. *Roy* —3A **6**
Elm Cotts. *Gt Hou* —5C **14**
Elm Ct. *Wors* —4H **21**
Elmhirst La. *Silk* —6H **9**
(in two parts)
Elm Pl. *B'ley* —2K **11**
Elm Row. *B'ley* —6H **11**
Elmsdale. *Wors* —4H **21**
Elm St. *Hoy* —4H **27**
Elm Wlk. *Thurn* —6H **15**
Elsecar. —4C **28**
Elsecar Heritage Cen.,
Newcomen Beam Engine.
—5D **28**
Elsecar Rd. *Bram B* —3J **29**
Elsecar Steam Railway. —5D **28**
Elstead Clo. *Bar G* —2J **9**
Emily Clo. *B'ley* —5K **11**
Empire Ter. *Roy* —2K **5**
Emsley Av. *Cud* —3E **12**
Engine La. *Gold* —4K **25**
Ennerdale Rd. *B'ley* —7D **12**
Enterprise Cen. *Gold* —4J **25**
Eshton Ct. *M'well* —4A **4**
Eshton Wlk. *B'ley* —6D **10**
Eskdale Rd. *B'ley* —7C **12**
Essex Rd. *B'ley* —1F **21**
Eveline St. *Cud* —1D **12**
Evelyn Ter. *B'ley* —7G **11**
Everill Clo. *Womb* —7H **23**
Everill Ga. La. *Womb* —6H **23**
(in two parts)
Ewden Rd. *Womb* —7H **23**
Ewden Way. *B'ley* —6A **10**
Eyam Clo. *Dod* —1J **19**

Fairburn Gro. *Else* —3D **28**
Fairfield. *Birdw* —7F **21**
Fairfield. *Bol D* —5F **25**
Fairfield Ct. *Womb* —4H **23**
Fairview Clo. *Hoy* —4J **27**
Fairway. *Dod* —2A **20**
Fairway Av. *M'well* —4C **4**
Faith St. *B'ley* —1B **12**
Falcon Dri. *Birdw* —1F **27**
Falconer Clo. *Dart* —5H **3**
Falcon Knowle Ing. *Dart* —5G **3**
Falcon St. *B'ley* —5E **10**
Fall Bank Cres. *Dod* —7H **9**
Fall Bank Ind. Est. *Dod* —1H **19**
Fall Head La. *Silk* —6F **9**
Fall Vw. *Silk* —7E **8**
Falmouth Clo. *B'ley* —4H **11**
Falthwaite Grn. La. *Hood G*
—5H **19**
Far Cft. *Bol D* —6G **25**
Far Fld. La. *B'ley* —1A **12**
Far Lawns. *Car* —5K **5**
Farm Clo. *B'ley* —3J **11**
Farm Ho. La. *B'ley* —5A **10**
Farm Rd. *B'ley* —2H **21**
Farm Way. *D'fld* —2J **23**
Farrand St. *Birdw* —2E **26**
Farrar St. *B'ley* —6D **10**
Farrow Clo. *Dod* —1A **20**
Far Townend. *Dod* —1K **19**
Far Vw. Ter. *B'ley* —1E **20**
Fearn Ho. Cres. *Hoy* —4J **27**
Fearnley Rd. *Hoy* —4J **27**
Fearn's Bldgs. *P'stne* —5E **16**
(off Stottercliffe Rd.)
Fearnville Gro. *Roy* —3J **5**
Felkirk. —1D **6**
Felkirk Vw. *Shaf* —3D **6**
Fellows Wlk. *Womb* —4D **22**
Fenn Rd. *Tank* —4F **27**
Fensome Way. *D'fld* —2J **23**
Fenton St. *B'ley* —6E **10**
Fernbank Clo. *Wors* —2F **21**
Fern Clo. *D'fld* —4J **23**

Fern Lea Gro. *Bol D* —6F **25**
Ferrara Clo. *D'fld* —2G **23**
Ferry Moor La. *Cud* —1F **13**
Ferrymoor Way. *Grim* —1G **13**
Field Clo. *D'fld* —2J **23**
Field Dri. *Cud* —2D **12**
Field Head Ct. *Hoy* —3A **28**
Field Head Rd. *Hoy* —4A **28**
Field La. *B'ley* —1A **22**
Field La. *Mill G* —7A **16**
Fields End. *Oxs* —7K **17**
Fields End Bus. Pk. *Thurn* —2H **25**
Fields End Rd. *Gold* —2H **25**
Fife St. *B'ley* —7D **10**
Filey Av. *Roy* —2K **5**
Firham Clo. *Roy* —2G **5**
Firs La. *H'swne* —1F **17**
First Av. *Roy* —2K **5**
Firs, The. *B'ley* —2J **21**
Firs, The. *Roy* —2G **5**
Firth Av. *Cud* —2C **12**
Firth Rd. *Wath D* —3K **29**
Firth St. *B'ley* —5F **11**
Fish Dam La. *B'ley* —6K **5**
Fitzwilliam Rd. *D'fld* —2A **24**
Fitzwilliam Sq. *Else* —5D **28**
(off Wath Rd.)
Fitzwilliam St. *B'ley* —6E **10**
Fitzwilliam St. *Else* —4C **28**
Fitzwilliam St. *H'fld* —2D **28**
Fitzwilliam St. *Hoy* —4H **27**
Five Acres. *Caw* —2D **8**
Flat La. *L Hou* —3C **24**
Flax Lea. *Wors* —3G **21**
Fleet Clo. *Bram B* —2K **29**
Fleet Hill Cres. *B'ley* —2G **11**
Fleetwood Av. *B'ley* —2J **11**
Fleming Pl. *B'ley* —7E **10**
Florence Ri. *D'fld* —3H **23**
Flower St. *Gold* —3K **25**
Foley Av. *Womb* —6E **22**
Folly La. *Thurls* —2B **16**
Forest Rd. *B'ley* —6F **5**
Forge La. *Else* —5D **28**
Formby Ct. *B'ley* —1K **11**
Foster St. *B'ley* —7K **11**
Foulstone Row. *Womb* —6G **23**
Foundry St. *B'ley* —7E **10**
(in two parts)
Foundry St. *Else* —4C **28**
Fountain Clo. *Dart* —5J **3**
Fountain Ct. *B'ley* —5E **4**
Fountain Sq. *Dart* —5J **3**
Fountains Way. *B'ley* —4K **11**
Fourlands Clo. *Bar G* —2J **9**
Four Lane End. —6A 18
Foxcovert Clo. *Gold* —5G **25**
Fox Cft. *Hoy* —4K **27**
Fox Fields. *Oxs* —7J **17**
Foxfield Wlk. *B'ley* —2K **21**
Foxroyd Clo. *B'ley* —7B **12**
Francus Royd. *B'ley* —5J **5**
Frederick Av. *B'ley* —7D **10**
Frederick St. *Gold* —3J **25**
Frederick St. *Womb* —5E **22**
Frederic Pl. *B'ley* —1F **21**
Freeman St. *B'ley* —7F **11**
Freemans Yd. *B'ley* —6F **11**
Friar's Rd. *B'ley* —4A **12**
Frickley. —2K 15
Frickley Bri. La. *Brie* —2G **7**
Frickley La. *Fric & S Elm* —1K **15**
Fulford Clo. *Dart* —5A **4**
Fulmer Clo. *B'ley* —1H **11**
Furlong Ct. *Gold* —5H **25**
Furlong Rd. *Bol D & Gold* —6H **25**
Furness Dene. *B'ley* —2K **11**
Fylde Clo. *B'ley* —1K **11**

Gadding Moor Rd. *H'swne*
—1G **17**

Gainsborough Way. *B'ley* —3H **11**
Gaitskell Clo. *Gold* —5H **25**
Galpharm Way. *Dod* —7J **9**
Galway Clo. *Roy* —2J **5**
Ganton Pl. *B'ley* —7E **4**
Garbutt St. *Bol D* —7H **25**
Garden Ct. *B'ley* —6B **10**
Garden Dri. *Bram* —1J **29**
Garden Gro. *H'fld* —1E **28**
Garden Ho. Clo. *B'ley* —2J **11**
Garden St. *B'ley* —7F **11**
Garden St. *D'fld* —3J **23**
Garden St. *Gold* —3K **25**
Garden St. *Thurn* —7H **15**
Garraby Clo. *Gt Hou* —5C **14**
Garside's Bldgs. *P'stne* —5E **16**
(off Stottercliffe Rd.)
Gate Cres. *Dod* —7K **9**
Gate, The. *Dod* —7K **9**
Gawber. —4A 10
Gawber Rd. *B'ley* —4C **10**
Gayle Ct. *B'ley* —5D **10**
Genn La. *B'ley & Wors* —2D **20**
Genoa Clo. *D'fld* —1G **23**
George Sq. *B'ley* —6E **10**
George St. *B'ley* —6E **10**
George St. *Cud* —6E **6**
George St. *Gold* —3G **25**
George St. *Hoy* —4A **28**
George St. *L Hou* —1B **24**
George St. *M'well* —5B **4**
George St. *Thurn* —1K **25**
George St. *Womb* —6F **23**
(High St.)
George St. *Womb* —4H **23**
(Stonyford Rd.)
George St. *Wors* —4G **21**
(Broomroyd)
George St. *Wors* —4J **21**
(High St.)
George Yd. *B'ley* —6E **10**
Gerald Clo. *B'ley* —1J **21**
Gerald Cres. *B'ley* —7J **11**
Gerald Pl. *B'ley* —1J **21**
Gerald Rd. *B'ley* —1J **21**
Gerald Wlk. *B'ley* —1J **21**
Gilbert Gro. *B'ley* —7K **11**
Gilder Way. *Shaf* —4E **6**
Gildhurst Ct. *Birdw* —3F **27**
Giles Av. *Wath D* —3K **29**
Gillott Ind. Est. *B'ley* —5D **10**
Gill St. *Hoy* —4B **28**
Gilroyd. —3A 20
Gilroyd La. *Dod* —3A **20**
Glasshouse Green. —7F 29
Glebe Ct. *Tank* —4F **27**
Gledhill Av. *P'stne* —7E **16**
Glendale Clo. *B'ley* —5B **10**
Glenmoor Av. *B'ley* —7B **10**
Glenmore Ri. *Womb* —7G **23**
Glenville Clo. *Hoy* —4K **27**
Godley Clo. *Roy* —2K **5**
Godley St. *Roy* —2K **5**
Gold Cft. *B'ley* —7G **11**
Gold St. *B'ley* —7G **11**
Goldthorpe. —3J 25
Goldthorpe Grn. *Gold* —4H **25**
Goldthorpe Ind. Est. *Gold*
—4F **25**
Goldthorpe Rd. *Gold* —4J **25**
Gooder Av. *Roy* —3J **5**
Goodyear Cres. *Womb* —6F **23**
Gooseacre Av. *Thurn* —6G **15**
Gordon St. *B'ley* —7A **12**
Gorse Clo. *Bram* —3H **29**
Gosling Ga. Rd. *Gold* —3J **25**
Gower St. *Womb* —6G **23**
Grace St. *B'ley* —1B **12**
Grafton St. *B'ley* —6D **10**
Graham's Orchard. *B'ley* —6E **10**
Grampian Clo. *B'ley* —5B **10**
Grange Clo. *Brie* —3H **7**

Grange Cres. *B'ley* —5A **12**
Grange Cres. *Thurn* —6J **15**
Grange Ho. *Brie* —3H **7**
Grange La. *B'ley* —6A **12**
Grange La. Ind. Est. *B'ley*
—6K **11**
Grange Rd. *Brie* —3H **7**
Grange Rd. *Roy* —3G **5**
Grange St. *Thurn* —7J **15**
Grange Ter. Thurn —7J 15
(off Chapman St.)
Grange Vw. *Bla H* —7K **21**
Granham Acre. *Shaf* —4E **6**
Grantley Clo. *Womb* —1H **29**
Granville St. *B'ley* —4D **10**
Grasmere Clo. *Bol D* —7G **25**
Grasmere Clo. *P'stne* —4F **17**
Grasmere Cres. *Dart* —4A **4**
Grasmere Rd. *B'ley* —6G **11**
Gray's Rd. *B'ley* —5J **5**
Gray St. *Else* —4C **28**
Gt. Cliffe Rd. *Dod* —7J **9**
Great Houghton. —6C 14
Greaves Fold. *B'ley* —5B **10**
Greaves La. *High G* —7D **26**
Green Acres. *Grim* —7J **7**
Green Acres. *Hoy* —4A **28**
Green Acres. *P'stne* —5G **17**
Green Bank. *B'ley* —5F **5**
Greenbank Wlk. *Grim* —7H **7**
Grn. Dyke Way. *B'ley* —3A **10**
Greenfield Cotts. *B'ley* —6J **5**
Greenfield Ct. *Adw D* —7K **25**
Greenfield Gdns. *B'ley* —5E **4**
Greenfield Rd. *Hoy* —3A **28**
Greenfoot Clo. *B'ley* —4D **10**
Greenfoot La. *B'ley* —3D **10**
(in two parts)
Grn. Gate Clo. *Bol D* —5H **25**
Greenhill Av. *B'ley* —4F **11**
Grn. Hill Gro. *H'swne* —2J **17**
Greenland. —6A 2
Greenland. *Bla H* —7K **21**
Greenland. *H Hoy* —6A **2**
Greenland Vw. *Wors* —4F **21**
Green La. *Dod* —2A **20**
Green La. *Hoy* —4G **27**
Green La. *Notton* —1G **5**
Green La. *Silk* —1A **18**
Green La. *Wors* —3C **20**
Green Rd. *P'stne* —6F **17**
Greenset Vw. *B'ley* —5E **4**
Greenside. —5C 4
Greenside. *H'swne* —2J **17**
Greenside. *M'well* —5C **4**
Greenside. *Shaf* —2D **6**
Greenside Av. *M'well* —5C **4**
Greenside Gdns. *H'swne* —2J **17**
Greenside Ho. *M'well* —5C **4**
Greenside La. *Hoy* —2A **28**
Greenside Rd. *M'well* —5C **4**
Grn. Spring Av. *Birdw* —1F **27**
Green St. *Hoy* —3A **28**
Green St. *Wors* —3J **21**
Green, The. —6F 17
Green, The. *Bol D* —5G **25**
Green, The. *H'fld* —2E **28**
Green, The. *Hood G* —6H **19**
Green, The. *P'stne* —6E **16**
Green, The. *Roy* —3J **5**
(in two parts)
Green, The. *Shaf* —3D **6**
Green, The. *Thurls* —4C **16**
Green Vw., The. *Shaf* —2D **6**
Greenway Vw. *H'fld* —2F **29**
Greenwood Av. *Wors* —3H **21**
Greenwood Cres. *Roy* —2H **5**
Greenwood Ter. *B'ley* —5E **10**
Greggs Ct. *B'ley* —1K **21**
Gregory's Bldgs. *Gt Hou* —5B **14**
Greno Vw. *Hood G* —6H **19**
Greno Vw. *Hoy* —4J **27**

Grenville Pl. *B'ley* —4C **10**
Greystones Av. *Wors* —4F **21**
Grimethorpe. —6J 7
Grosvenor Dri. *B'ley* —6C **10**
Grove Clo. *P'stne* —7F **17**
Grove Clo. *Wath D* —1K **29**
Grove Rd. *M'well* —5A **4**
Grove Rd. *Wath D* —1K **29**
Grove St. *B'ley* —6G **11**
Grove St. *Wors* —3J **21**
Grove, The. *Cud* —5D **6**
Gudgeon Hole La. *Cra M &*
Hood G —7J **19**
Guest La. *Silk* —6E **8**
Guest Pl. *Hoy* —2A **28**
Guest Rd. *B'ley* —4D **10**
Guest St. *Hoy* —2A **28**
Guildford Rd. *Roy* —1H **5**
Gypsy La. *Womb* —7G **23**
Gypsy La. *Wool* —1J **3**

Hackings Av. *P'stne* —7E **16**
Haddon Clo. *Dod* —1J **19**
Haddon Rd. *B'ley* —1H **11**
Hadfield St. *Womb* —7F **23**
Haigh Clo. *H'swne* —2H **17**
Haigh Ct. *Bram* —3H **29**
Haigh Cft. *Roy* —2H **5**
Haigh Head Rd. *H'swne* —1H **17**
Haigh Hill. *Haigh* —1G **3**
Haigh La. *H'swne* —1J **17**
Haigh M. *Haigh* —1G **3**
Haigh Moor Way. *Roy* —1J **5**
Haise Mt. *Dart* —5A **4**
Haldane Clo. *Brie* —3H **7**
Haldene. *Wors* —4H **21**
Halifax Rd. *P'stne & H'swne*
—2E **16**
Halifax St. *B'ley* —3E **10**
Hallam Ct. *Bol D* —7F **25**
Hall Av. *Jump* —2C **28**
Hall Balk La. *B'ley* —4D **10**
Hall Brig. *Clayt* —3G **15**
Hall Broome Gdns. *Bol D* —5G **25**
Hall Clo. *Bram B* —2K **29**
Hall Clo. *Wors* —6G **21**
Hall Cft. Ri. *Roy* —3H **5**
Hall Farm Dri. *Thurn* —1H **25**
Hall Farm Gro. *H'swne* —2J **17**
Hall Farm Ri. *Thurn* —1H **25**
Hall Ga. *P'stne* —4F **17**
Hallgate. *Thurn* —1H **25**
Hall Gro. *M'well* —5C **4**
Hall La. *H'swne* —2J **17**
Hall Pl. *B'ley* —3J **11**
Hall Royd La. *Silk C* —2E **18**
Hall Royd Wlk. *Silk C* —3E **18**
Hall St. *Gold* —4J **25**
Hall St. *Hoy* —3A **28**
Hall St. *Womb* —6G **23**
Hallsworth Av. *H'fld* —2D **28**
Halstead Gro. *M'well* —4A **4**
Hamble Cft. *M'well* —6C **4**
Hambleton Clo. *B'ley* —5B **10**
Hambleton Clo. *Else* —3D **28**
Hamilton Rd. *Gold* —2K **25**
Hamper La. *H'swne* —2H **17**
(in two parts)
Hampole Dri. *Thurn* —1G **25**
Hanbury Clo. *B'ley* —3K **11**
Hand La. *T'land* —7F **19**
Hannas Royd. *Dod* —1A **20**
Hanover Ct. *Wors* —3G **21**
Hanover Sq. *Thurn* —7J **15**
Hanover St. *Thurn* —6J **15**
Hanson St. *B'ley* —5F **11**
Harborough Hill Rd. *B'ley* —6F **11**
Harden Clo. *B'ley* —5A **10**
Harden Clo. *P'stne* —6F **17**
Hardwick Clo. *Wors* —4G **21**

Hardwick Cres. *B'ley* —7G **5**
Hardwick Gro. *Dod* —2K **19**
Haredon Clo. *M'well* —4A **4**
Harewood Av. *B'ley* —6B **10**
Harley. —7K 27
Harley Rd. *Harl* —7K **27**
Harlington Rd. *Adw D* —7K **25**
Harold Av. *B'ley* —3A **12**
Harriet Clo. *B'ley* —1G **21**
Harrington Ct. *B'ley* —3A **12**
Harry Rd. *B'ley* —4B **10**
Hartcliff Av. *P'stne* —5E **16**
Hartcliffe La. *P'stne* —7A **16**
Hartcliff Rd. *P'stne* —7B **16**
Hartington Dri. *B'ley* —3F **11**
Harvest Clo. *Wors* —4G **21**
Harvey St. *B'ley* —7D **10**
Harwood Ter. *B'ley* —5A **12**
Hastings St. *Grim* —6J **7**
Hatfield Clo. *B'ley* —7E **4**
Hatfield Gdns. *Roy* —2H **5**
Havelock St. *B'ley* —7D **10**
Havelock St. *D'fld* —3J **23**
Havenfield. *D'fld* —2J **23**
Havercroft Ri. *S Hien* —1G **7**
Haverdale Ri. *B'ley* —4D **10**
Haverlands La. *Wors* —4D **20**
Haverlands Ridge. *Wors* —4F **21**
Haw Ct. *Silk* —6D **8**
Hawkwell Bank. *Ard* —7C **12**
Haworth Clo. *B'ley* —4H **11**
Hawshaw La. *Hoy* —3J **27**
Hawson St. *Womb* —6G **23**
Hawthorne Ct. *Dart* —6F **3**
Hawthorne Cres. *Dod* —7J **9**
Hawthorne Cft. *Gold* —3G **25**
Hawthorne Farm Ct. *Bol D*
—6H **25**
Hawthorne Flats. *Thurn* —6H **15**
Hawthorne St. *B'ley* —7E **10**
Hawthorne St. *Shaf* —3E **6**
Hawthorne Way. *Shaf* —3E **6**
Hawthorn Gro. *Silk* —6D **8**
Hawtop La. *Wool* —1K **3**
Hayes Cft. *B'ley* —6F **11**
Hayfield Clo. *Dod* —1J **19**
Hay Green. —1F 27
Hay Grn. La. *Birdw* —2F **27**
Haylock Clo. *Hghm* —4J **9**
Hazelshaw. *Dod* —2A **20**
Hazledene Cres. *Shaf* —5F **7**
Hazledene Rd. *Shaf* —5E **6**
Headlands Rd. *Hoy* —3K **27**
Heather Ct. *Bol D* —5F **25**
Heather Knowle. *Dod* —1A **20**
Heather Wlk. *Bol D* —5F **25**
Heath Gro. *Bol D* —7F **25**
Hedge Hill Rd. *Thurls* —5C **16**
Hedge La. *Dart* —7H **3**
(in three parts)
Heelis St. *B'ley* —7F **11**
Helena Clo. *B'ley* —7D **10**
Helensburgh Clo. *B'ley* —5C **10**
Hellin La. *Caw* —2D **8**
Helston Cres. *B'ley* —4H **11**
Hemingfield. —2E 28
Hemmingfield Rd. *Womb* —7D **22**
Hemsworth. —1K 7
Hemsworth By-Pass. *Brie* &
Hems —2K **7**
Henderson Glen. *Roy* —3G **5**
Henry Clo. *Shaf* —3E **6**
Henrys St. *Wors* —3G **21**
Henry St. *Womb* —4H **23**
Henshall St. *B'ley* —7G **11**
Hermit Hill. —3A 26
Hermit Hill La. *Wort & Tank*
—3A **26**
Hermit La. *Hghm* —5J **9**
Herons Way. *Birdw* —1F **27**
Heysham Grn. *B'ley* —1K **11**

Hibbert Ter. *B'ley* —1F **21**
(off Walnut Clo.)
Hickleton Ct. *Thurn* —1G **25**
Hickleton Ter. *Thurn* —1J **25**
Hickson Dri. *B'ley* —3A **12**
Higham. —4J 9
Higham Comn. Rd. *Hghm* —4J **9**
Higham Ct. *Hghm* —4J **9**
Higham La. *Hghm & Dod* —5J **9**
Higham Vw. *Dart* —7H **3**
High Bank. *Thurls* —4C **16**
High Bank La. *Thurls* —4A **16**
High Clo. *Dart* —5H **3**
High Cft. *Hoy* —4A **28**
High Cft. Dri. *B'ley* —6F **5**
Highfield Av. *B'ley* —1G **11**
Highfield Av. *Gold* —3H **25**
Highfield Av. *Wors* —2F **21**
Highfield Ct. *Womb* —5E **22**
Highfield Gro. *Wath D* —2J **29**
Highfield Range. *D'fld* —1J **23**
Highfield Rd. *D'fld* —2J **23**
Highfield Rd. *Hems* —1K **7**
Highfields. *H'swne* —2H **17**
Highfields Rd. *Dart* —6F **3**
Highgate. —3G 25
Highgate. *Womb* —6K **23**
Highgate Ct. *Gold* —4G **25**
Highgate La. *Bol D & Gold* —5G **25**
High Ga. Way. *Shaf* —4E **6**
High Hoyland. —5A 2
High Hoyland La. *H Hoy* —7A **2**
High La. *P'stne* —1A **16**
High Lee La. *H'swne* —3H **17**
High Ridge. *Wors* —3F **21**
High Royd Av. *Cud* —1D **12**
High Royd La. *Hoy* —1H **27**
High Royd La. *H'swne* —3J **17**
Highroyds. *Wors* —2F **21**
Highstone Av. *B'ley* —1E **20**
Highstone Corner. *Wors* —2F **21**
Highstone Cres. *B'ley* —1E **20**
Highstone La. *Wors* —2F **21**
Highstone Rd. *B'ley* —1F **21**
Highstone Va. *B'ley* —1E **20**
High St. *B'ley* —5E **10**
High St. *Bol D* —6G **25**
High St. *Dart* —4A **4**
High St. *Dod* —1K **19**
High St. *Gold* —3J **25**
High St. *Gt Hou* —5B **14**
High St. *Grim* —1H **13**
High St. *Hoy* —3A **28**
High St. *L Hou* —1D **24**
High St. *Monk B* —3J **11**
High St. *P'stne* —5F **17**
High St. *Roy* —3G **5**
High St. *Shaf* —3E **6**
High St. *Silk* —1D **18**
High St. *S Hien* —1G **7**
High St. *Thurn* —7F **15**
High St. *Womb* —5F **23**
High St. *Wors* —3H **21**
High Thorns. *Silk* —7D **8**
High Vw. *Roy* —3H **5**
High Vw. Clo. *D'fld* —2K **23**
High Well Hill La. *S Hien* —1D **6**
Highwood Clo. *Dart* —6G **3**
Hilda Ter. *Grim* —1H **13**
Hild Av. *Cud* —3F **13**
Hill Crest. *Hoy* —4J **27**
Hillcrest. *Thurn* —1G **25**
Hill End Rd. *M'well* —7C **4**
Hill Farm Clo. *Thurn* —1F **25**
Hillside. —4J 7
(Grimethorpe)
Hill Side. —6B 16
(Penistone)
Hillside. *B'ley* —7C **12**
Hillside Clo. *H'swne* —2H **17**
Hillside Cres. *Brie* —4J **7**
Hillside Dri. *Hoy* —4B **28**

Hillside Gro. *Brie* —4H **7**
Hill Side La. *Thurls* —6B **16**
Hillside Mt. *Brie* —4J **7**
Hill St. *B'ley* —7A **12**
Hill St. *D'fld* —3J **23**
Hill St. *Else* —4C **28**
Hill Top. —1F 11
(Barnsley)
Hill Top. —1A 18
(Hoylandswaine)
Hilltop. *Brie* —3H **7**
Hill Top. *Caw* —2C **8**
Hilltop Av. *B'ley* —5E **4**
Hill Top La. *B'ley* —4B **10**
Hill Top Rd. *Birdw* —1F **27**
Hill Top Smithies. *B'ley* —1F **11**
Hilton St. *B'ley* —5D **10**
Hindle St. *B'ley* —6D **10**
Hodgkinson Av. *P'stne* —5F **17**
Hodroyd Clo. *Shaf* —5F **7**
Hodroyd Cotts. *Brie* —4J **7**
Hodster La. *Gt Hou* —3A **14**
Holden Ct. *B'ley* —6E **10**
Holdroyds Yd. *Dod* —2K **19**
Holgate. *Womb* —3D **22**
Holgate Hospital. *Hems* —1J **7**
Holgate Mt. *Wors* —2F **21**
Holgate Vw. *Brie* —3J **7**
Hollin Cft. *Dod* —7A **10**
Hollin Moor La. *T'land* —7F **19**
Hollins, The. *Dod* —2A **20**
Hollins Wood Gro. *Cud* —3F **13**
Hollowdene. *B'ley* —4B **10**
Hollowgate Av. *Wath D* —1K **29**
Holly Bush Dri. *Thurn* —7H **15**
Holly Ct. B'ley —1F 21
(off Hornby St.)
Hollycroft Av. *Roy* —3H **5**
Holly Ga. *Wors* —3J **21**
Holly Gro. *Brie* —3J **7**
Holly Gro. *Gold* —3G **25**
Holme Clo. *Gold* —4G **25**
Holme Vw. Rd. *Dart* —6F **3**
Holwick Clo. *Silk* —7D **8**
Holwick Ct. *B'ley* —6E **10**
Homecroft Rd. *Gold* —3H **25**
Honeysuckle Clo. *D'fld* —4J **23**
Honeywell. —4F 11
Honeywell Clo. *B'ley* —4F **11**
Honeywell Gro. *B'ley* —3F **11**
Honeywell La. *B'ley* —4E **10**
Honeywell Pl. *B'ley* —4E **10**
Honeywell St. *B'ley* —4F **11**
Honister Clo. *Bram B* —2J **29**
Hoober Fld. Rd. *Rawm &*
Wath D —7J **29**
Hoober Hall La. *W'wth &*
Wath D —6G **29**
Hoober Stand. —7H **29**
(Folly)
Hoober St. *Wath D* —2K **29**
Hoober Vw. *Womb* —7H **23**
Hood Green. —6J 19
Hood Grn. Rd. *Hood G* —6J **19**
Hope Av. *Gold* —3H **25**
Hope St. *B'ley* —1B **12**
(Burton Rd.)
Hope St. *B'ley* —5D **10**
(Gawber Rd.)
Hope St. *M'well* —6C **4**
Hope St. *Womb* —6G **23**
(Gower St.)
Hope St. *Womb* —4H **23**
(Pitt St.)
Hopewell St. *B'ley* —7K **11**
Hopping La. *T'land* —7D **18**
Hopwood St. *B'ley* —1F **21**
Horbury Rd. *Cud* —6D **6**
Hornby St. *B'ley* —1F **21**
(in two parts)
Horn Cft. *Caw* —2C **8**
Hornes La. *M'well* —5C **4**

Hornthwaite Hill Rd. *Thurls*
—6B **16**
Horse Carr Av. *B'ley* —7C **12**
Horsemoor Rd. *Thurn* —7F **15**
Horsewood Clo. *B'ley* —7B **10**
Hough La. *Womb* —6E **22**
Houghton Rd. *Thurn* —7E **14**
Hound Hill La. *Wors* —4D **20**
Ho. Carr La. *Hood G* —4F **19**
Howard St. *B'ley* —1F **21**
Howard St. *D'fld* —3A **24**
Howbrook. —7B 26
Howbrook La. *Wort* —7A **26**
(in two parts)
Howden Clo. *Dart* —5K **3**
Howell Gdns. *Thurn* —1G **25**
Howell La. *Grim* —1C **14**
Howitt Ho. La. *Caw* —3A **8**
Howse St. *Else* —3D **28**
Hoyland. —3A 28
Hoyland Clo. *Mill G* —5A **16**
Hoyland Common. —4H 27
Hoyland Leisure Cen. &
Swimming Pool. —3J **27**
Hoyland Lowe. —2J 27
Hoyland Mkt. *Hoy* —3A **28**
Hoyland Rd. *Hoy* —4H **27**
Hoyland St. *Womb* —6F **23**
Hoylandswaine. —2J 17
Hoyle Mill. —6H 11
Hoyle Mill La. *Thurls* —4D **16**
Hoyle Mill Rd. *B'ley* —7K **11**
Huddersfield Rd. *B'ley* —3C **10**
Huddersfield Rd. *Bret & Haigh*
—1E **2**
Huddersfield Rd. *Dart* —5F **3**
Huddersfield Rd. *P'stne* —1B **16**
Hudson Haven. *Womb* —5D **22**
Humberside Way. *B'ley* —1K **11**
Hunningley Clo. *B'ley* —1K **21**
Hunningley La. *B'ley* —3K **21**
(in two parts)
Hunt Clo. *B'ley* —3J **11**
Hunter's Av. *B'ley* —7A **10**
Hunters Ri. *B'ley* —6A **10**
Hunt St. *Hoy* —4H **27**
Hurley Cft. *Bram B* —2J **29**
(in two parts)
Huskar Clo. *Silk* —7D **8**

I
Ibberson Av. *M'well* —6B **4**
Illsley Rd. *D'fld* —2J **23**
Imperial St. *B'ley* —1F **21**
Industry Rd. *Car* —7J **5**
Ingbirchworth. —1A 16
Ingbirchworth La. *P'stne* —1A **16**
(in two parts)
Ingbirchworth Rd. *Thurls* —4C **16**
Ingleton Wlk. *B'ley* —5D **10**
Inglewood. *Dart* —5A **4**
Ingsfield La. *Bol D* —6C **24**
(in two parts)
Ings La. *L Hou* —1K **23**
(in two parts)
Ings Rd. *Womb* —4H **23**
(in two parts)
Inkerman Rd. *D'fld* —3J **23**
Innovation Way. *B'ley* —3C **10**
Intake Cres. *Dod* —2K **19**
Intake Gdns. B'ley —5B 10
(off Wade St.)
Intake La. *B'ley* —4B **10**
Intake La. *Cud* —6E **6**
Interchange Way. *B'ley* —5F **11**
Ironworks Pl. Else —5D 28
(off Forge La.)
Ironworks Row. Else —5D 28
(off Forge La.)
Issott St. *B'ley* —4F **11**
Ivy Cotts. *Roy* —2K **5**
Ivy Ct. *Cud* —1D **12**

Lowfield Rd.—MOUNT VERNON HOSPITAL

Lowfield Rd. *Bol D* —6H **25**
Low Grange Rd. *Thurn* —7G **15**
Low Grange Sq. *Thurn* —7G **15**
Low Laithes. —2E 22
Low Laithes Vw. *Womb* —4D **22**
Lowlands Clo. *B'ley* —2K **11**
Low Pasture Clo. *Dod* —1A **20**
Low Rd. *Oxs* —7B **18**
Low Row. *Dart* —3J **3**
Low St. *Dod* —2B **20**
Low Valley. —4H 23
Low Valley Ind. Est. *Womb*
—4H **23**
Low Vw. *Dod* —1J **19**
Loxley Av. *Womb* —6E **22**
Loxley Rd. *B'ley* —4B **12**
Lugano Gro. *D'fld* —2G **23**
Lulworth Clo. *B'ley* —7H **11**
Lund Av. *B'ley* —4B **12**
Lund Clo. *B'ley* —4B **12**
Lund Cres. *B'ley* —4B **12**
Lundhill Clo. *Womb* —7G **23**
Lundhill Farm M. *H'fld* —1F **29**
Lundhill Gro. *Womb* —7G **23**
Lund Hill La. *Roy* —2B **6**
Lundhill Rd. *Womb* —1G **29**
Lundwood. —4A 12
Lunn Rd. *Cud* —1D **12**
Lymegate. *Bram* —3H **29**
Lynham Av. *Birdw* —3F **27**
Lynton Pl. *Dart* —6H **3**
Lynwood Dri. *B'ley* —5J **5**
Lytham Av. *B'ley* —1K **11**
Lyttleton Cres. *P'stne* —7E **16**

Mackey Cres. *Brie* —3G **7**
Mackey La. *Brie* —3G **7**
McLintock Way. *B'ley* —6D **10**
Macnaughten Rd. *Tank* —4F **27**
Macro Rd. *Womb* —6G **23**
Maggot La. *Oxs* —5B **18**
Magnolia Clo. *Shaf* —4F **7**
Main St. *Gold* —3J **25**
Main St. *S Hien* —1F **7**
Main St. *W'wth* —7C **28**
Main St. *Womb* —5E **22**
Malcolm Clo. *B'ley* —7K **11**
Malham Clo. *Shaf* —3E **6**
Malham Ct. *B'ley* —7K **11**
Malincroft. *M'well* —6B **4**
Mallory Way. *Cud* —7E **6**
Maltas Ct. *Wors* —3J **21**
Malthouse Rd. *B'ley* —6F **11**
Maltings, The. *P'stne* —6E **16**
(off Mortimer Rd.)
Malt Kiln Row. Caw —2C **8**
(off Hill Top)
Malton Pl. *B'ley* —7E **4**
Malvern Clo. *B'ley* —5B **10**
Manchester Rd. *Mill G & Thurls*
—5A **16**

Manor Av. *Gold* —3J **25**
Manor Clo. *Bram B* —2K **29**
Manor Ct. *Roy* —3G **5**
Manor Cres. *Grim* —6J **7**
Manor Cft. *S Hien* —1F **7**
Manor Dri. *Roy* —3H **5**
Manor Dri. *S Hien* —1F **7**
Manor End. *Wors* —3F **21**
Mnr. Farm Clo. *B'ley* —6K **5**
Mnr. Farm Ct. B'ley —7D **12**
(off Doncaster Rd.)
Mnr. Farm Ct. *Cud* —1D **12**
Manor Fields. *Gt Hou* —5C **14**
Manor Gdns. *B'ley* —7D **12**
Manor Gdns. *Shaf* —4E **6**
Manor Gro. *Grim* —6H **7**
Manor Gro. *Roy* —3H **5**
Manor Ho. Clo. *Hoy* —3A **28**
Manor La. *Oxs* —7A **18**
Mnr. Occupation Rd. *Roy* —2H **5**

Manor Pk. *Silk* —1D **18**
Manor Pl. *Hoy* —3B **28**
Manor Rd. *Bram B* —2J **29**
Manor Rd. *Cud* —1C **12**
Manor Rd. *Thurn* —7G **15**
Manor Sq. *Thurn* —7G **15**
Manor St. *B'ley* —6K **5**
Manor Vw. *Shaf* —4E **6**
Manor Way. *Hoy* —3A **28**
Mansfield Rd. *B'ley* —6F **5**
Manvers Way. *Manv* —7A **24**
Maori Av. *Bol D* —6E **24**
Maple Clo. *B'ley* —1H **21**
Maple Ct. *Tank* —6D **26**
Maple Rd. *M'well* —5A **4**
Maple Rd. *Tank* —6D **26**
Mapplewell. —5C 4
Mapplewell Dri. *M'well* —6C **4**
Maran Av. *D'fld* —3A **24**
Margaret Clo. *D'fld* —3H **23**
Margaret Rd. *D'fld* —3H **23**
Margaret Rd. *Womb* —6G **23**
Margate St. *Grim* —7J **7**
Marina Ri. *D'fld* —3G **23**
Market Clo. *B'ley* —6G **11**
Market Hill. *B'ley* —6E **10**
Market Pde. *B'ley* —6F **11**
Market Pl. *Cud* —7D **6**
Market Pl. *Else* —4C **28**
Market Pl. *Gold* —3J **25**
Market Pl. *P'stne* —5F **17**
Market Pl. *Womb* —6G **23**
Market Sq. *Gold* —3J **25**
Market St. *B'ley* —6E **10**
Market St. *Cud* —7D **6**
Market St. *Gold* —7G **15**
(Church St.)
Market St. *Gold* —3J **25**
(Doncaster Rd.)
Market St. *Hoy* —2A **28**
Market St. *P'stne* —5F **17**
Mark St. *B'ley* —6E **10**
Marlborough Clo. *Thurn*
—7G **15**
Marlborough Ter. *B'ley* —7E **10**
Marsala Wlk. *D'fld* —2H **23**
Marshfield. *Birdw* —7F **21**
Marsh St. *Womb* —5G **23**
Marston Cres. *B'ley* —1F **11**
Martin Clo. *Birdw* —1F **27**
Martin Cft. *Silk* —7D **8**
Martin La. *Bla H* —7K **21**
Martin's Rd. *B'ley* —4B **12**
Mary Ann Clo. *B'ley* —5K **11**
Mary La. *D'fld* —3K **23**
Mary's Pl. *B'ley* —5C **10**
Mary St. *Bar G* —3H **9**
Mary St. *L Hou* —1C **24**
Mason St. *Gold* —3J **25**
Masons Way. *B'ley* —2J **21**
Matlock Rd. *B'ley* —1H **11**
Mauds Ter. *B'ley* —2J **11**
Mawfield Rd. *B'ley* —3K **9**
Mayberry Dri. *Silk* —7D **8**
May Day Grn. *B'ley* —6F **11**
May Day Grn. Arc. B'ley —6F **11**
(off May Day Grn.)
Mayfield. *B'ley* —3H **11**
Mayfield. *Oxs* —7K **17**
Mayfield Ct. *Oxs* —7K **17**
Mayfield Cres. *Wors* —2E **20**
May Ter. *B'ley* —6C **10**
Maythorne Clo. *M'well* —6C **4**
Maytree Clo. *D'fld* —4J **23**
Meadow Av. *Cud* —3F **13**
Meadow Clo. *Hems* —1K **7**
Meadow Ct. *Roy* —3K **5**
Meadow Cres. *Grim* —7H **7**
Meadow Cres. *Roy* —2K **5**
Meadow Cft. *Shaf* —3E **6**
Meadow Dri. *B'ley* —3K **11**

Meadow Dri. *D'fld* —3K **23**
Meadowfield Dri. *Hoy* —5A **28**
Meadowgate. *Bram* —3H **29**
Meadow Ga. *Womb* —7J **23**
Meadowgates. *Bol D* —5G **25**
Meadowland Ri. *Cud* —2E **12**
Meadow La. *Dart* —7J **3**
Meadow Rd. *Roy* —3K **5**
Meadow St. *B'ley* —5F **11**
Meadow Vw. *H'swne* —2H **17**
Meadow Vw. *Wors* —3G **21**
Mdw. View Clo. *Hoy* —4K **27**
Meadstead Dri. *Roy* —3H **5**
Mears Clo. *P'stne* —5G **17**
Measborough Dike. —1H 21
Medina Way. *Bar G* —2J **9**
Medway Clo. *Bar G* —2K **9**
Medway Pl. *Womb* —7H **23**
Melbourne Av. *Bol D* —6F **25**
Melford Clo. *M'well* —5B **4**
Mell Av. *Hoy* —3A **28**
Mellor Rd. *Womb* —6F **23**
Mellwood Gro. *H'fld* —1E **28**
Melrose Way. *B'ley* —5K **11**
Melton Av. *Bram* —1K **29**
Melton Av. *Gold* —3J **25**
Melton Grn. *Wath D* —3K **29**
Melton High St. *Wath D* —3K **29**
Melton St. *Bram* —1K **29**
Melton Ter. *Wors* —3J **21**
Melton Way. *Roy* —1J **5**
Melville St. *Womb* —5F **23**
Melvinia Cres. *B'ley* —3D **10**
Mendip Clo. *B'ley* —5B **10**
Merlin Clo. *Birdw* —1F **27**
Merrill Rd. *Thurn* —7G **15**
Methley St. *Cud* —1D **12**
Metrodome Leisure Complex,
The. —5G **11**
Metro Trad. Cen. *B'ley* —2J **9**
Mexborough Rd. *Bol D* —7H **25**
Meyrick Dri. *Dart* —7H **3**
Michael Rd. *B'ley* —5A **12**
Michael's Est. *Grim* —7J **7**
Mickelden Way. *B'ley* —6A **10**
Middleburn Clo. *B'ley* —1G **21**
Middlecliff Cotts. *L Hou* —1C **24**
Middlecliffe. —1C 24
Middlecliff La. *L Hou* —7A **14**
Middle Clo. *Dart* —5G **3**
Middle Fld. La. *Wool* —1J **3**
Middle Fld. Rd. *Silk* —7H **9**
Middlesex St. *B'ley* —1F **21**
Middlewoods. *Dod* —1A **20**
Midhope Way. *B'ley* —6A **10**
Midhurst Gro. *Bar G* —2J **9**
Midland Rd. *Roy* —2J **5**
Midland St. *B'ley* —1F **21**
Milano Ri. *D'fld* —3H **23**
Milden Pl. *B'ley* —1G **21**
Milefield Ct. *Grim* —7H **7**
Milefield La. *Grim* —7G **7**
Milefield Vw. *Grim* —7H **7**
Mileswood Clo. *Gt Hou* —4B **14**
Milford Av. *Else* —3D **28**
Milgate St. *Roy* —2K **5**
Milking La. *Bram* —2J **29**
Mill Ct. *Wors* —3G **21**
Millers Cft. *Roy* —2J **5**
Millers Dale. *Wors* —4G **21**
Mill Hill. *Womb* —4D **22**
Millhouse Green. —5A 16
Millhouse La. *Mill G* —5A **16**
Millhouses. —3B 24
Millhouses St. *Hoy* —4A **28**
Mill La. *Dart* —5J **3**
Mill La. *Thurls* —5B **16**
Mill La. *Wath D* —4K **29**
Mill La. *W'wth* —7B **28**
Millmoor Clo. *Womb* —4H **23**
Millmoor Rd. *Womb* —4G **23**
Millmount Rd. *Hoy* —4B **28**

Millrace Dri. *Gold* —4G **25**
Millside. *Shaf* —3E **6**
Millside Wlk. *Shaf* —3E **6**
Millstones. *Oxs* —7A **18**
Mill St. *B'ley* —6H **11**
Mill Vw. *Bol D* —7F **25**
Milner Av. *P'stne* —4D **16**
Milnes St. *B'ley* —7G **11**
Milne St. *Bar G* —3J **9**
Milton. —5A 28
Milton Clo. *Jump* —2B **28**
Milton Clo. *Wath D* —1K **29**
Milton Cres. *Hoy* —4A **28**
Milton Gro. *Womb* —6G **23**
Milton Rd. *Hoy* —4A **28**
Milton St. *Gt Hou* —5B **14**
Minster Way. *B'ley* —4K **11**
Mission Fld. *Bram* —1J **29**
Mitchell Clo. *Wors* —3K **21**
Mitchell Rd. *Womb* —3E **22**
Mitchells Enterprise Cen.
Womb —3E **22**
Mitchell St. *Swait* —3A **22**
Mitchells Way. *Womb* —4E **22**
Mitchelson Av. *Dod* —1J **19**
Modena Ct. *D'fld* —2G **23**
Mona St. *B'ley* —5D **10**
Monk Bretton. —3J 11
Monk Bretton Priory. —5A **12**
(remains of)
Monkspring. *Wors* —3J **21**
Monks Way. *B'ley* —4K **11**
Monk Ter. *B'ley* —2A **12**
Monkton Way. *Roy* —1J **5**
Monsal Cres. *B'ley* —7G **5**
Monsal St. *Thurn* —6G **15**
Montague St. *Cud* —6E **6**
Montrose Av. *Dart* —5K **3**
Mont Wlk. *Womb* —4C **22**
Moorbank Clo. *B'ley* —3C **10**
Moorbank Clo. *Womb* —4D **22**
Moorbank Rd. *Womb* —3D **22**
Moorbank Vw. *Womb* —3D **22**
Moorbridge Cres. *Bram* —7K **23**
Moorcrest Ri. *M'well* —4B **4**
Moor End Houses. *Silk C* —3F **19**
Moorend La. *Silk C* —3E **18**
Moor Grn. Clo. *B'ley* —6A **10**
Moorhouse La. *Haigh* —1G **3**
Moorland Av. *B'ley* —7B **10**
Moorland Av. *M'well* —4B **4**
Moorland Cres. *M'well* —4B **4**
Moorland Pl. *Silk C* —3E **18**
Moorland Ter. *Cud* —2E **12**
Moor La. *Birdw* —4F **27**
Moor La. *Brie* —1B **14**
Moorley. *Birdw* —7E **20**
Moorside Av. *P'stne* —6F **17**
Moorside Clo. *M'well* —6B **4**
Morrison Pl. *D'fld* —2J **23**
Morrison Rd. *D'fld* —2H **23**
Mortimer Dri. *P'stne* —7E **16**
Mortimer Heights. *P'stne* —7E **16**
Mortimer Rd. *P'stne* —7E **16**
Morton Clo. *B'ley* —2K **11**
Mottram St. *B'ley* —5F **11**
Mount Av. *Gt Hou* —6C **14**
Mount Av. *Grim* —6J **7**
Mount Cres. *Roy* —2K **27**
Mt. Osborne Ind. Pk. *B'ley*
—7H **11**
Mount Pleasant. *Grim* —6J **7**
Mount Pleasant. *Wors* —4H **21**
Mount Rd. *Grim* —6J **7**
Mount St. *Ard* —7B **12**
Mount St. *B'ley* —7E **10**
Mount Ter. *Wath D* —3K **29**
Mount Ter. *Womb* —5E **22**
Mt. Vernon Av. *B'ley* —1F **21**
Mt. Vernon Cres. *B'ley* —2G **21**
MOUNT VERNON HOSPITAL.
—2F **21**

Mt. Vernon Rd. *B'ley & Wors*
—1G **21**
Mucky La. *B'ley* —6C **12**
Muirfield Clo. *Cud* —5E **6**
Muirfields, The. *Dart* —5A **4**
Mulberry Clo. *D'fld* —4J **23**
Mulberry Clo. *Gold* —3G **25**
Murdoch Pl. *B'ley* —7E **4**
Mus. of the 13th/18th Royal
Hussars (QMO), The.—2A **8**
(Cannon Hall Mus.)
Mylor Ct. *B'ley* —4J **11**
Myrtle Rd. *Womb* —5E **22**
Myrtle St. *B'ley* —5C **10**

Nabs Wood Nature
Reserve. —4E **18**
Nancy Cres. *Grim* —1K **13**
Nancy Rd. *Grim* —1K **13**
Nanny Marr Rd. *D'fld* —3J **23**
Napier Mt. *Wors* —3F **21**
Nasmyth Row. Else —5D **28**
(off Wath Rd.)
Naylor Gro. *Dod* —1K **19**
Needlewood. *Dod* —2K **19**
Nelson Av. *B'ley* —3G **11**
Nelson St. *B'ley* —6E **10**
Nelson St. *S Hien* —1G **7**
Nethercroft. *Bar G* —2J **9**
Nether Fld. *Silk* —6E **8**
Nether Royd Vw. *Silk C* —3E **18**
Netherwood Rd. *Womb* —3F **23**
Neville Av. *B'ley* —1K **21**
Neville Clo. *B'ley* —1K **21**
Neville Clo. *Womb* —4D **22**
Neville Ct. *Womb* —4D **22**
Neville Cres. *B'ley* —1K **21**
Newark Clo. *M'well* —4E **4**
Newbridge Clo. *Monk B* —4H **11**
Newbridge Gro. *Monk B*
—4H **11**
New Chapel Av. *P'stne* —7E **16**
New Clo. *Silk* —7D **8**
Newdale Av. *Cud* —2C **12**
Newfield Av. *B'ley* —3K **11**
New Hall La. *B'ley* —1D **22**
Newhill Rd. *B'ley* —2G **11**
Newington Av. *Cud* —6D **6**
Newland Av. *Cud* —2C **12**
Newland Rd. *B'ley* —7E **4**
Newlands Way. *Womb* —7J **23**
New La. *Bol D* —4B **24**
(in two parts)
New Lodge. —7E 4
New Lodge Cres. *B'ley* —7E **4**
Newlyn Dri. *B'ley* —4H **11**
Newman Av. *B'ley* —5J **5**
New Rd. *Caw* —1A **8**
New Rd. *H'fld* —2F **29**
New Rd. *M'well* —4A **4**
New Rd. *Tank* —4D **26**
New Royd. *Mill G* —5A **16**
New Smithy Av. *Thurls* —4C **16**
New Smithy Dri. *Thurls* —4C **16**
Newsome Av. *Womb* —5D **22**
Newstead Rd. *B'ley* —6E **4**
New St. *B'ley* —7E **10**
(S70, in two parts)
New St. *B'ley* —7A **12**
(S71)
New St. *Bol D* —7H **25**
New St. *D'fld* —3J **23**
New St. *Dod* —2K **19**
New St. *Gt Hou* —6C **14**
New St. *Grim* —1J **13**
New St. *M'well* —5B **4**
New St. *Roy* —3J **5**
New St. *S Hien* —1F **7**
New St. *Womb* —5G **23**

New St. *Wors* —4J **21**
(Edmunds Rd.)
New St. *Wors* —4G **21**
(West St.)
Newton St. *B'ley* —5D **10**
Newtown Av. *Cud* —2C **12**
Newtown Av. *Roy* —2H **5**
Newtown Grn. *Cud* —2D **12**
Nicholas La. *Gold* —3G **25**
Nicholas St. *B'ley* —6D **10**
Nicholson Av. *Bar G* —3J **9**
Noble St. *Hoy* —4B **28**
Nook La. *P'stne* —7G **17**
Nook, The. *H'swne* —2J **17**
Nora St. *Gold* —2K **25**
Norcroft. *Wors* —2F **21**
Norcroft La. *Caw* —4C **8**
Norcross Gdns. *D'fld* —3K **23**
Norfolk Clo. *B'ley* —3H **11**
Norfolk Rd. *Gt Hou* —6C **14**
Norman Clo. *B'ley* —3J **11**
Norman Clo. *Wors* —3G **21**
Normandale Rd. *Gt Hou* —5C **14**
Norman St. *Thurn* —7J **15**
N. Carr La. *B'ley* —7J **13**
North Clo. *Roy* —3J **5**
Northcote Ter. *B'ley* —5C **10**
Northcroft. *Shaf* —4E **6**
North Fld. *Dod* —7K **9**
North Fld. *Silk* —7D **8**
Northgate. *B'ley* —4C **10**
Northgate. *S Hien* —1G **7**
Northlands. *Roy* —2J **5**
North La. *Caw* —4A **8**
(Gadding Moor Rd.)
North La. *Caw* —5E **8**
(Silkstone La.)
Northorpe. *Dod* —2B **20**
North Pl. *B'ley* —4B **10**
North Rd. *Roy* —1K **5**
N. Royds Wood. *B'ley* —5F **5**
North St. *D'fld* —2J **23**
Northumberland Av. *Hoy* —2A **28**
Northumberland Way. *B'ley*
—7B **12**
North Vw. *Grim* —7H **7**
Norville Cres. *D'fld* —2K **23**
Norwood Dri. *Bar G* —2J **9**
Norwood Dri. *Brie* —3J **7**
Norwood La. *Thurls* —3B **16**
Nostell Fold. *Dod* —2K **19**
Nottingham Clo. *B'ley* —1C **22**
Nursery Gdns. *B'ley* —1A **22**
Nursery St. *B'ley* —7E **10**

Oak Clo. *Hoy* —4K **27**
Oakdale. *Wors* —3H **21**
Oakdale Clo. *Wors* —4H **21**
Oakfield Ct. *M'well* —5A **4**
Oakfield Wlk. *B'ley* —5B **10**
Oakham Pl. *B'ley* —4B **10**
Oak Haven Av. *Gt Hou* —6C **14**
Oakland. *Wors* —4H **21**
Oaklands Av. *B'ley* —3K **11**
Oak Lea. *Wors* —4J **21**
Oaklea Clo. *M'well* —4B **4**
Oak Leigh. *Caw* —3C **8**
Oak Pk. Ri. *B'ley* —1G **21**
Oak Rd. *Shaf* —4F **7**
Oak Rd. *Thurn* —7H **15**
Oaks Bus. Pk. *B'ley* —6J **11**
Oaks Cres. *B'ley* —7J **11**
Oaks Farm Clo. *Dart* —5K **3**
Oaks Farm Dri. *Dart* —5K **3**
Oaks La. *B'ley* —7J **11**
(S70)
Oaks La. *B'ley* —6J **11**
(S71, in two parts)
Oak St. *B'ley* —6D **10**
Oak St. *Grim* —1K **13**
Oaks Wood Dri. *Dart* —6K **3**

Oak Tree Av. *Cud* —7D **6**
Oak Tree Clo. *Dart* —6H **3**
Oakwell Bus. & Youth Enterprise
Cen. *B'ley* —6H **11**
Oakwell La. *B'ley* —6G **11**
Oakwell Ter. *B'ley* —7G **11**
Oakwell Vw. *B'ley* —7G **11**
Oakwood Av. *Roy* —2J **5**
Oakwood Clo. *Wors* —4J **21**
Oakwood Cres. *Pen* —5H **5**
Oakwood Rd. *Roy* —2H **5**
Oakwood Sq. *Dart* —6F **3**
Oakworth Clo. *B'ley* —4B **10**
Oberon Cres. *D'fld* —2H **23**
Occupation Rd. *Harl* —7K **27**
Old Anna La. *P'stne* —4C **16**
Old Cubley. —7E 16
Oldfield Clo. *Hoy* —3A **28**
Old Hall Rd. *Wors* —6D **20**
Old Hall Wlk. *Gt Hou* —6C **14**
Old Ho. Clo. *H'fld* —2E **28**
Old Mkt. Pl. *Womb* —6F **23**
Old Mill. —4G 11
Old Mill La. *B'ley* —5E **10**
Old Moor La. *Wath D* —7A **24**
Old Moor Wetland Cen. —6A 24
(Nature Reserve)
Old Moor Wetland Cen.
Vis. Cen. —7A **24**
Old Rd. *B'ley* —2G **11**
Old Row. *Else* —4D **28**
Oldroyd Av. *Grim* —1J **13**
Old School Clo. *Hoy* —2A **28**
Old School Ct. *Bar G* —2J **9**
Old Town. —4C 10
Ollerton Rd. *B'ley* —5F **5**
Orchard Clo. *B'ley* —2J **11**
Orchard Clo. *M'well* —5B **4**
Orchard Clo. *Silk C* —3E **18**
Orchard Cft. *Dod* —2A **20**
Orchard Dri. *S Hien* —1F **7**
Orchard M. *B'ley* —4E **10**
Orchard Pl. *Cud* —2E **12**
Orchard St. *Gold* —4J **25**
Orchard St. *Womb* —5F **23**
Orchard Ter. *Caw* —3D **8**
Orchard Wlk. *B'ley* —4F **11**
Orchard Way. *Thurn* —7H **15**
Oriel Way. *B'ley* —4K **11**
Orwell Clo. *Womb* —7H **23**
Osborne Ct. *B'ley* —3K **11**
Osborne M. *B'ley* —7G **11**
Osborne St. *B'ley* —7G **11**
Osmond Dri. *Wors* —3G **21**
Osmond Pl. *Wors* —3G **21**
Osmond Way. *Wors* —3G **21**
Osprey Av. *Birdw* —1F **27**
Oulton Dri. *Cud* —7E **6**
Ouson Gdns. *B'ley* —5J **5**
Overdale Av. *Wors* —2H **21**
Overdale Rd. *Womb* —7G **23**
Owram St. *D'fld* —3J **23**
Oxford Pl. *S'foot* —7A **12**
Oxford St. *B'ley* —1G **21**
Oxford St. *S'foot* —7A **12**
Oxspring. —7K 17
Oxspring La. *Oxs* —4J **17**
Oxton Rd. *B'ley* —6F **5**

Pack Horse Grn. *Silk* —7D **8**
Packman Rd. *Wath D* —2K **29**
(Brampton Rd.)
Packman Rd. *Wath D & Rawm*
(Rotherham Rd.) —4K **29**
Packman Way. *Wath D* —3K **29**
Paddock Clo. *M'well* —5C **4**
Paddock Gro. *Cud* —7E **6**
Paddock Rd. *M'well* —5C **4**
Paddock, The. *D'fld* —2J **23**
Paddock, The. *H'fld* —1E **28**

Padley Clo. *Dod* —1J **19**
Padua Ri. *D'fld* —3H **23**
Pagnell Av. *Thurn* —1F **25**
Palermo Fold. *D'fld* —2H **23**
Pall Mall. *B'ley* —6F **11**
Palmer Clo. *P'stne* —7E **16**
Palm St. *B'ley* —4D **10**
Pangbourne Rd. *Thurn* —6G **15**
Pantry Grn. *Wors* —4J **21**
Pantry Hill. *Wors* —3J **21**
Pantry Well. *Wors* —4J **21**
Parade, The. *Hoy* —4K **27**
Parish Way. *B'ley* —4K **11**
Park Av. *B'ley* —6E **10**
(S70)
Park Av. *B'ley* —7F **5**
(S71)
Park Av. *Brie* —3K **7**
Park Av. *Cud* —7D **6**
Park Av. *Grim* —6J **7**
Park Av. *P'stne* —5E **16**
Park Av. *Roy* —3K **5**
Park Clo. *M'well* —6C **4**
Park Cotts. *Wors* —5G **21**
Park Ct. *Thurn* —7H **15**
Park Cres. *Roy* —3K **5**
Park Dri. *S'bgh* —4B **20**
Park End Rd. *Gold* —4H **25**
Parker's Ter. *Birdw* —2E **27**
Parker St. *B'ley* —6D **10**
Park Gro. *B'ley* —6E **10**
Parkhead Clo. *Roy* —2G **5**
Park Hill. *D'fld* —2K **23**
Pk. Hill Gro. *Dod* —7K **9**
Pk. Hill Rd. *Womb* —5G **23**
Park Hollow. *Womb* —6G **23**
Parkin Ho. La. *Mill G* —6A **16**
Park La. *C'town* —7G **27**
Park La. *Gt Hou* —3K **13**
Park La. *P'stne* —5E **16**
Park Rd. *B'ley* —1D **20**
Park Rd. *Brie* —3K **7**
Park Rd. *Grim* —7J **7**
Park Rd. *Thurn* —7G **15**
Park Rd. *Wors* —3H **21**
Parkside M. *Wors B* —3G **21**
Parkside Rd. *Hoy* —5H **27**
Pk. Spring Rd. *Grim* —1H **13**
Park St. *B'ley* —7E **10**
Park St. *Womb* —6G **23**
Park, The. *Caw* —3C **8**
Park Vw. *B'ley* —1D **20**
Park Vw. *Brie* —3K **7**
Park Vw. *Dod* —1K **19**
Park Vw. *Roy* —2K **5**
Park Vw. *Shaf* —4E **6**
Park Vw. *Wors* —3H **21**
Pk. View Rd. *M'well* —5D **4**
Parma Ri. *D'fld* —3G **23**
Parson La. *Dod* —2H **19**
Pashley Cft. *Womb* —6D **22**
Pasture La. *Bol D* —4B **24**
Pavilion Clo. *Brie* —3J **7**
Pea Fields La. *Wort* —7A **26**
Peak Rd. *B'ley* —7G **5**
Pearson Cres. *Womb* —3D **22**
Pearson's Fld. *Womb* —5F **23**
Peartree Av. *Thurn* —7G **15**
Pear Tree Ct. *Gt Hou* —5B **14**
Pear Tree Ct. *Thurn* —7G **15**
Peasehill Clo. *B'ley* —7E **10**
Peel Pde. *B'ley* —6E **10**
Peel Pl. *B'ley* —4G **11**
Peel Sq. *B'ley* —6E **10**
Peel St. *B'ley* —1F **21**
(Highstone Rd.)
Peel St. *B'ley* —6E **10**
(Peel Sq.)
Peel St. Arc. *B'ley* —6E **10**
Peet Wlk. *Jump* —2B **28**
Pembridge Ct. Roy —2J **5**
(off Rushton Dri.)

Pendlebury Gro.—Rotherham Rd.

Pendlebury Gro. *Hoy* —4J **27**
Pendon Ho. *P'stne* —5F **17**
Pengeston Rd. *P'stne* —5D **16**
Penistone. —5F 17
Penistone Ct. *P'stne* —5G **17**
Penistone Sports Cen. —4D **16**
Pennine Clo. *Dart* —4A **4**
Pennine Vw. *Dart* —4A **4**
Pennine Way. *B'ley* —5B **10**
Penrhyn Wlk. *B'ley* —7C **12**
Penrith Gro. *B'ley* —7B **12**
Pepper St. *Hoy* —1A **28**
Peregrine Dri. *Birdw* —1F **27**
Perseverance St. *B'ley* —6D **10**
Peterfoot Way. *B'ley* —5H **5**
Petworth Cft. *Roy* —2H **5**
Peveril Cres. *B'ley* —7G **5**
Philip Rd. *B'ley* —1K **21**
Phoenix La. *Thurn* —1J **25**
Pickhill's Av. *Gold* —3K **25**
Pickup Cres. *Womb* —7F **23**
Pike Lowe Gro. *M'well* —6D **4**
Pilley. —3D 26
Pilley Green. —4D 26
Pilley Grn. *Tank* —4D **26**
Pilley Hills. —3B 26
Pilley La. *Tank* —3D **26**
Pilley La. End. *Tank* —2C **26**
Pindar Oaks Cotts. *B'ley* —7H **11**
Pindar Oaks St. *B'ley* —7G **11**
Pindar St. *B'ley* —7H **11**
Pine Clo. *B'ley* —2J **21**
Pine Clo. *Hoy* —4A **28**
Pinehall Dri. *B'ley* —3K **11**
Pinewood Clo. *Gt Hou* —4B **14**
Pinfield Clo. *Gt Hou* —5C **14**
Pinfold Clo. *B'ley* —7A **12**
Pinfold Cotts. *Cud* —1E **12**
Pinfold Hill. *Wors* —2G **21**
Pinfold La. *D'fld* —3K **23**
(in two parts)
Pinfold La. *Roy* —3J **5**
(in two parts)
Pinfold La. *Silk C & T'land* —5E **18**
Pit La. *Womb* —6C **22**
Pit Row. *H'fld* —3E **28**
Pitt La. *M'well* —5A **4**
Pitt St. *B'ley* —6E **10**
Pitt St. *Womb* —3G **23**
Pitt St. W. *B'ley* —6D **10**
Plantation Av. *Roy* —3K **5**
Platts Common. —1A 28
Platts Comn. Ind. Est. *Hoy* —2K **27**
Playford Yd. *Hoy* —1K **27**
Pleasant Av. *Gt Hou* —5C **14**
Pleasant Vw. *Cud* —3E **12**
Pleasant Vw. St. *B'ley* —3E **10**
Plover Dri. *Birdw* —1F **27**
Plumber St. *B'ley* —6D **10**
Plumpton Ct. *Thurls* —5B **16**
Plumpton Way. *Shaf* —4E **6**
Pogmoor. —5B 10
Pogmoor La. *B'ley* —5A **10**
(in two parts)
Pogmoor Rd. *B'ley* —5B **10**
Pog Well La. *Hghm* —4J **9**
(in two parts)
Pollitt St. *B'ley* —4D **10**
Pollyfox Way. *Dod* —1K **19**
Pond St. *B'ley* —7E **10**
(in two parts)
Pontefract La. *Bram* —2K **29**
Pontefract Rd. *B'ley* —6F **11**
Pontefract Rd. *Bram* —1K **29**
Pontefract Rd. *Cud & Shaf* —6D **6**
Pools La. *Roy* —3A **6**
Poplar Av. *Gold* —3J **25**
Poplar Av. *Shaf* —4E **6**
Poplar Gro. *Lund* —3A **12**
Poplar Rd. *Womb* —6G **23**
Poplars Rd. *B'ley* —1H **21**
Poplar St. *Grim* —1K **13**

Poplar Ter. *Roy* —2K **5**
Porter Av. *B'ley* —5C **10**
Porter Ter. *B'ley* —5B **10**
Portland St. *B'ley* —7H **11**
Potts Cres. *Gt Hou* —5C **14**
Poulton St. *B'ley* —1K **11**
Powder Mill La. *Wors* —5J **21**
Powell St. *Wors* —4H **21**
Powerhouse Sq. *Else* —5D **28**
(off Forge La.)
Preston Av. *Jump* —2C **28**
Preston Way. *B'ley* —1K **11**
Priest Cft. La. *B'ley* —7H **13**
Priestley Av. *Dart* —6G **3**
Priest Royd. *Dart* —5A **4**
Primrose Av. *D'fld* —3H **23**
Primrose Clo. *Bol D* —5F **25**
Primrose Hill. *Hoy* —4A **28**
Primrose Way. *Hoy* —5A **28**
Prince Arthur St. *B'ley* —5D **10**
Princess Clo. *Bol D* —6F **25**
Princess Dri. *Thurn* —1J **25**
Princess Gdns. *Womb* —6F **23**
Princess Gro. *Tank* —4C **26**
Princess Rd. *Gold* —3J **25**
Princess St. *B'ley* —6E **10**
Princess St. *Cud* —5E **6**
Princess St. *Grim* —1J **13**
Princess St. *Hoy* —4H **27**
Princess St. *M'well* —5A **4**
Princess St. *Womb* —5E **22**
Priory Clo. *Wors* —6F **21**
Priory Cres. *B'ley* —4A **12**
Priory Pl. *B'ley* —3A **12**
Priory Rd. *B'ley* —3A **12**
Priory Rd. *Bol D* —6G **25**
Probert Av. *Gold* —3H **25**
Prospect. *Thurls* —5C **16**
Prospect Cotts. *B'ley* —1F **21**
Prospect Rd. *Bol D* —5G **25**
Prospect Rd. *Cud* —1D **12**
Prospect St. *B'ley* —6D **10**
Prospect St. *Cud* —7D **6**
Providence Ct. *B'ley* —7E **10**
Providence St. *Womb* —4H **23**
Psalters Dri. *Oxs* —7K **17**
Pye Av. *M'well* —6A **4**

Quaker La. *B'ley* —7C **12**
(Doncaster Rd.)
Quaker La. *B'ley* —7B **12**
(Northumberland Way)
Quaker La. *B'ley* —3H **11**
(Westgate)
Quarry Bank. *Wath D* —3K **29**
Quarry Bank Clo. *Cud* —2D **12**
Quarry Clo. *Dart* —6H **3**
Quarry Hills. —3A 24
Quarry La. *D'fld* —3A **24**
Quarry Rd. *Bla H* —7K **21**
Quarry St. *B'ley* —7F **11**
(S70)
Quarry St. *B'ley* —2G **11**
(S71)
Quarry St. *Cud* —7D **6**
Quarry Va. *Cud* —1D **12**
Queen Rd. *Grim* —1K **13**
Queen's Av. *B'ley* —5D **10**
Queen's Av. *L Hou* —1B **24**
Queens Cres. *Hoy* —4G **27**
Queens Dri. *B'ley* —4C **10**
Queen's Dri. *Cud* —5E **6**
Queen's Dri. *Dod* —1K **19**
Queen's Dri. *Shaf* —3D **6**
Queens Gdns. *B'ley* —4C **10**
Queens Gdns. *Hoy* —4H **27**
Queens Gdns. *Womb* —6F **23**
Queen's Rd. *B'ley* —6F **11**
Queen's Rd. *Cud* —5E **6**
Queen St. *B'ley* —6E **10**
Queen St. *D'fld* —2K **23**

Queen St. *Gold* —3J **25**
Queen St. *Hoy* —4G **27**
Queen St. *P'stne* —5G **17**
Queen St. *Thurn* —1J **25**
Queen St. S. *B'ley* —6F **11**
Queensway. *B'ley* —4C **10**
Queensway. *Hoy* —3B **28**
Queensway. *Roy* —2J **5**
Queensway. *Wors* —3H **21**
Quern Way. *D'fld* —2J **23**
Quest Av. *H'fld* —1E **28**

Race Comn. Av. *P'stne* —7E **16**
Racecommon La. *B'ley* —1D **20**
(in two parts)
Racecommon Rd. *B'ley* —1D **20**
Race St. *B'ley* —6E **10**
Radcliffe Rd. *B'ley* —6F **5**
Railway Cotts. *Dod* —1J **19**
Railway Ter. *Gold* —3H **25**
Railway Vw. *Gold* —3J **25**
Rainborough Ct. *Bram* —3H **29**
Rainborough M. *Bram* —2K **29**
Rainborough Rd. *Wath D* —3K **29**
Rainboro Vw. *H'fld* —2E **28**
Rainford Dri. *B'ley* —1K **11**
Rainton Gro. *B'ley* —4B **10**
Raley St. *B'ley* —1D **20**
(in two parts)
Ratten Row. *Dod* —2J **19**
Ravenfield Dri. *B'ley* —6G **11**
Ravenholt. *Wors* —4G **21**
Raven La. *S Hien* —1C **6**
Raven Royd. *B'ley* —5F **5**
Ravens Clo. *M'well* —6B **4**
Ravens Ct. *Wors* —4H **21**
Ravenshaw Clo. *B'ley* —4B **10**
Ravensmead Ct. *Bol D* —7G **25**
Raw Green. —4A 8
Raymond Av. *Grim* —1J **13**
Raymond Rd. *B'ley* —7K **11**
Reasbeck Ter. *B'ley* —2F **11**
Reaton M. *B'ley* —4B **10**
Rebecca M. *B'ley* —7F **11**
Rebecca Row. *B'ley* —7F **11**
Rectory Clo. *Car* —5K **5**
Rectory Clo. *Thurn* —7F **15**
Rectory Clo. *Womb* —6F **23**
Rectory La. *Thurn* —7F **15**
Rectory Way. *B'ley* —4K **11**
Redbrook. —3B 10
Redbrook Bus. Pk. *B'ley* —2B **10**
Redbrook Ct. *B'ley* —3C **10**
Redbrook Rd. *B'ley* —3A **10**
Redbrook Vw. *B'ley* —3C **10**
Redbrook Wlk. *B'ley* —3C **10**
Redcliffe Clo. *B'ley* —3B **10**
Redfearn St. *B'ley* —5F **11**
Redhill Av. *B'ley* —1J **21**
Redland Gro. *M'well* —4B **4**
Redthorne Way. *Shaf* —3D **6**
Redthorpe Crest. *B'ley* —3A **10**
Redwood Av. *Roy* —3J **5**
Redwood Clo. *Hoy* —4K **27**
Reed Clo. *D'fld* —3J **23**
Regent Ct. *B'ley* —3C **10**
Regent Cres. *B'ley* —7F **5**
Regent Cres. *S Hien* —1G **7**
Regent Gdns. *B'ley* —4E **10**
Regent Ho. *B'ley* —6F **11**
Regent St. *B'ley* —5E **10**
Regent St. *Hoy* —4G **27**
Regent St. *S Hien* —1G **7**
Regent St. S. *B'ley* —5F **11**
Regina Cres. *Brie* —4G **7**
Reginald Rd. *B'ley* —1K **21**
Reginald Rd. *Womb* —6H **23**
Renald La. *H'swne* —2G **17**
Rhodes Ter. *B'ley* —7G **11**
Riber Av. *B'ley* —7G **5**
Richard Av. *B'ley* —1G **11**

Richard Rd. *B'ley* —1G **11**
Richard Rd. *Dart* —6H **3**
Richardson Wlk. *Womb* —4D **22**
Richard St. *B'ley* —6D **10**
Richmond Av. *Dart* —7H **3**
Richmond Rd. *Thurn* —7G **15**
Richmond St. *B'ley* —6D **10**
Ridgewalk Way. *Wors* —2F **21**
Ridgeway Cres. *B'ley* —5J **5**
Ridgway Av. *D'fld* —2J **23**
Ridings Av. *B'ley* —2H **11**
Ridings, The. *B'ley* —2H **11**
Rimington Rd. *Womb* —5F **23**
Rimini Ri. *D'fld* —3G **23**
Ringstone Gro. *Brie* —3J **7**
Ringway. *Bol D* —6F **25**
Ripley Gro. *B'ley* —3B **10**
Risedale Rd. *Gold* —4K **25**
Riverside Clo. *D'fld* —3A **24**
Riverside Gdns. *Bol D* —7H **25**
Roache Dri. *Gold* —4G **25**
Robert Av. *B'ley* —5K **11**
Roberts St. *Cud* —7D **6**
Roberts St. *Womb* —6E **22**
Robin Hood Av. *Roy* —2K **5**
Robin La. *Hems* —1H **7**
Robin La. *Roy* —2K **5**
Robinson's Sq. *Birdw* —2E **26**
Rob Royd. *Dod* —2K **19**
Rob Royd. *Wors* —3C **20**
Rob Royd La. *B'ley* —3D **20**
(in two parts)
Roche Clo. *B'ley* —4H **11**
Rochester Rd. *B'ley* —3H **11**
Rockingham Bus. Pk. *Birdw*
—3F **27**
Rockingham Clo. *Birdw* —3F **27**
Rockingham M. *Birdw* —3E **26**
Rockingham Rd. *Dod* —2A **20**
Rockingham Row. *Birdw* —3F **27**
Rockingham St. *B'ley* —3E **10**
Rockingham St. *Birdw* —3F **27**
Rockingham St. *Hoy* —3H **27**
Rockley Av. *Birdw* —1E **26**
Rockley Av. *Womb* —7D **22**
Rockley Cres. *Birdw* —2E **26**
Rockley La. *Wors* —5C **20**
Rockley Meadows. *B'ley* —1C **20**
Rockleys. *Dod* —2A **20**
Rockley Vw. *Tank* —3D **26**
Rock Mt. *Hoy* —3B **28**
Rockside Rd. *Thurls* —5C **16**
Rock St. *B'ley* —5D **10**
Rockwood Clo. *Dart* —5K **3**
Rodes Av. *Gt Hou* —5C **14**
Roebuck Hill. *Jump* —1B **28**
Roebuck St. *Womb* —6G **23**
Roeburn Clo. *M'well* —4A **4**
Roehampton Ri. *B'ley* —7C **12**
Roger Rd. *B'ley* —5A **12**
Roman Rd. *Dart* —7H **3**
Roman St. *Thurn* —6J **15**
Rookdale Clo. *B'ley* —3B **10**
Rookhill. *Wors* —3J **21**
Rose Av. *D'fld* —1H **23**
Roseberry Clo. *Hoy* —5A **28**
Rosebery St. *B'ley* —7K **11**
Rosebery Ter. *B'ley* —7F **11**
Rosedale Gdns. *B'ley* —6C **10**
Rose Greave. *Gold* —3H **25**
Rose Gro. *Womb* —4D **22**
Rose Hill Clo. *P'stne* —6F **17**
Rosehill Cotts. *Harl* —7A **28**
Rosehill Ct. *B'ley* —5E **10**
Rose Hill Dri. *Dod* —1K **19**
Rose Pl. *Womb* —4E **22**
Rose Tree Av. *Cud* —7D **6**
Rose Tree Ct. *Cud* —7D **6**
Rother Cft. *Hoy* —3A **28**
Rotherham Rd. *B'ley* —1G **11**
Rotherham Rd. *Gt Hou & L Hou*
—5C **14**

Rotherham Rd. *Wath D* —3K **29**
Rother St. *Bram* —1J **29**
Roughbirchworth. —7J 17
Roughbirchworth La. *Oxs* —7K **17**
Round Grn. La. *S'bgh* —4B **20**
Round Hill. *Dart* —5A **4**
Roundwood Ct. *Wors* —4G **21**
Roundwood Way. *D'fld* —2H **23**
Rowan Clo. *B'ley* —1F **21**
Rowan Clo. *Gold* —3G **25**
Rowan Dri. *B'ley* —4B **10**
Rowland Rd. *B'ley* —4C **10**
Rowland St. *Roy* —2K **5**
Royal Ct. *Bar G* —1J **9**
Royal Ct. *Hoy* —3B **28**
Royal St. *B'ley* —6E **10**
Royd Av. *Cud* —1D **12**
Royd Av. *M'well* —5B **4**
Royd Av. *Mill G* —5A **16**
Royd Clo. *Wors* —4F **21**
Royd Fld. La. *P'stne* —7F **17**
Royd La. *Hghm* —4G **9**
  (in two parts)
Royd La. *Mill G* —4A **16**
Royd Moor Ct. *Thurls* —4C **16**
Royd Moor Rd. *Thurls* —3A **16**
Royds La. *Else* —4E **28**
Royd Vw. *Brie* —3J **7**
Roy Kilner Rd. *Womb* —4D **22**
  (in two parts)
Royston. —3J 5
Royston Cotts. *Hoy* —3K **27**
Royston Hill. *Hoy* —3K **27**
Royston La. *Roy & B'ley* —4J **5**
Royston Leisure Cen. —2J **5**
Royston Rd. *Cud* —5C **6**
Rud Broom Clo. *P'stne* —6D **16**
Rud Broom La. *P'stne* —5D **16**
Rufford Av. *B'ley* —6G **5**
Rufford Ri. *Gold* —4G **25**
Ruscombe Pl. *B'ley* —5J **5**
Rushton Dri. *Roy* —2J **5**
Rushworth Clo. *Dart* —6G **3**
Ruskin Clo. *Wath D* —2K **29**
Russell Clo. *B'ley* —2H **11**
Rutland Pl. *Womb* —6D **22**
Rutland Way. *B'ley* —4C **10**
Rydal Clo. *Bol D* —7G **25**
Rydal Clo. *P'stne* —4F **17**
Rydal Ter. *B'ley* —6G **11**
Rye Cft. *B'ley* —1G **11**
Rylstone Wlk. *B'ley* —2K **11**
Ryton Av. *Womb* —7H **23**

Sackup La. *Dart* —5K **3**
Sackville St. *B'ley* —5D **10**
Sadler Ga. *B'ley* —5E **10**
Sadler's Ga. *Womb* —4E **22**
St Andrews Clo. *Hoy* —3A **28**
St Andrews Dri. *Dart* —5A **4**
St Andrews Rd. *Hoy* —3A **28**
St Andrew's Sq. *Bol D* —6G **25**
St Andrews Way. *B'ley* —1C **22**
St Anne's Dri. *B'ley* —7K **5**
St Austell Dri. *Bar G* —3J **9**
St Barbara's Rd. *D'fld* —3H **23**
St Bart's Ter. *B'ley* —7F **11**
St Catherine's Way. *B'ley* —6B **10**
St Christophers Clo. *B'ley* —1C **22**
St Clements Clo. *B'ley* —1C **22**
St David's Dri. *B'ley* —7B **12**
St Edward's Av. *B'ley* —7D **10**
St Francis Boulevd. *B'ley* —7K **5**
St George's Ter. *B'ley* —6E **10**
St Helen's. —2K 11
St Helen's Av. *B'ley* —2H **11**
St Helen's Boulevd. *B'ley* —1H **11**
St Helens Clo. *Thurn* —7F **15**
St Helens Ct. *Else* —3B **28**
St Helen's St. *Else* —3C **28**
St Helen's Way. *B'ley* —2K **11**

St Helier Dri. *B'ley* —5B **10**
St Hilda Av. *B'ley* —6C **10**
St Hildas Clo. *Thurn* —6J **15**
St James' Clo. *Wors* —4G **21**
St John's. *H'swne* —2H **17**
St John's Av. *Bar G* —3J **9**
St John's Clo. *Dod* —1J **19**
St John's Ct. *P'stne* —6E **16**
St John's Rd. *B'ley* —7E **10**
St John's Rd. *Cud* —1D **12**
St John's Wlk. *Roy* —3K **5**
St Joseph's Gdns. *B'ley* —7H **11**
St Julien's Mt. *Caw* —3C **8**
St Julien's Way. *Caw* —3C **8**
St Leonards Way. *B'ley* —1C **22**
St Lukes Way. *B'ley* —4J **11**
St Martin's Clo. *B'ley* —6B **10**
St Mary's Clo. *Cud* —7D **6**
St Marys Gdns. *Wors* —6G **21**
St Mary's Ga. *B'ley* —5E **10**
St Mary's Pl. *B'ley* —5E **10**
St Mary's Rd. *D'fld* —3K **23**
St Mary's Rd. *Gold* —2K **25**
St Mary's Rd. *Womb* —6E **22**
St Mary's St. *P'stne* —5F **17**
St Matthews Way. *B'ley* —4J **11**
St Michael's Av. *B'ley* —1K **11**
St Michaels Clo. *Gold* —3H **25**
St Owens Dri. *B'ley* —5B **10**
St Paul Rd. *B'ley* —4C **10**
St Paul's Pde. *B'ley* —7B **12**
St Peters Ga. *Thurn* —6G **15**
St Peter's Ter. *B'ley* —7G **11**
St Thomas's Rd. *B'ley* —3A **10**
Salcombe Clo. *M'well* —6G **4**
Salerno Way. *D'fld* —2G **23**
Sale St. *Hoy* —4G **27**
Salisbury St. *B'ley* —4D **10**
Salter Oak Cft. *B'ley* —5J **5**
Saltersbrook. *Gold* —3H **25**
Saltersbrook Flats. *Gold* —3H **25**
Saltersbrook Rd. *D'fld* —1H **23**
Salters Way. *P'stne* —6F **17**
Samuel Rd. *B'ley* —4B **10**
Samuel Sq. *B'ley* —4B **10**
Sandbeck Clo. *B'ley* —4F **11**
Sandcroft Clo. *Hoy* —4J **27**
Sandford Ct. *B'ley* —6D **10**
Sandhill. —6D 14
Sandhill Ct. *Gt Hou* —6D **14**
Sandhill Golf Course. —7B 14
Sandhill Grn. *Grim* —5J **7**
Sandringham Clo. *Thurls* —4C **16**
Sandybridge La. *S Hien* —1C **6**
Sandybridge La. Ind. Est. *Shaf*
  —2D **6**
Sandygate La. *B'ley* —7A **12**
Sandy La. *Womb* —6A **22**
Sankey Sq. *Gold* —3H **25**
Saunderson Rd. *P'stne* —4D **16**
Saunder's Row. *Womb* —6E **22**
Savile Wlk. *Brie* —3K **7**
Saville Ct. *Hoy* —4H **27**
Saville Hall La. *Dod* —2K **19**
Saville La. *Thurls* —5C **16**
Saville Rd. *Dod* —2K **19**
Saville St. *Cud* —7D **6**
Saville Ter. *B'ley* —7E **10**
Saxon Cres. *Wors* —3G **21**
Saxon St. *Cud* —1D **12**
Saxon St. *Thurn* —7J **15**
Saxton Clo. *Else* —3D **28**
Scarfield Clo. *B'ley* —7B **12**
Scar La. *Ard* —7B **12**
Sceptone Gro. *Shaf* —3E **6**
Schofield Dri. *D'fld* —2J **23**
Schofield Pl. *D'fld* —2J **23**
Schofield Rd. *D'fld* —2J **23**
Schole Av. *P'stne* —5E **16**
Schole Hill La. *P'stne* —6D **16**
  (in two parts)
Scholes Vw. *Hoy* —4A **28**

Scholes Vw. *Jump* —2B **28**
School Hill. *Cud* —7D **6**
School St. *B'ley* —4D **10**
School St. *Bol D* —6G **25**
School St. *Cud* —6D **6**
School St. *D'fld* —2K **23**
School St. *Dart* —5J **3**
School St. *Gt Hou* —5B **14**
  (in two parts)
School St. *H'fld* —2E **28**
School St. *M'well* —5C **4**
School St. *S'foot* —7K **11**
School St. *Thurn* —7H **15**
School St. *Womb* —5F **23**
Scout Dike. —2D 16
Selbourne Clo. *Bar G* —2J **9**
Selby Rd. *B'ley* —7F **5**
Sennen Cft. *B'ley* —4H **11**
Seth Ter. *B'ley* —7G **11**
Shackleton Vw. *P'stne* —6F **17**
Shaftesbury Rd. *Hoy* —4K **27**
Shaftesbury St. *B'ley* —7A **12**
Shafton. —3E 6
Shafton Hall Dri. *Shaf* —3D **6**
Shafton Two Gates. —4F 7
Shambles St. *B'ley* —6E **10**
Shawfield Rd. *B'ley* —7K **5**
Shaw Lands. —6D 10
Shaw La. *B'ley* —6C **10**
Shaw La. *Car* —5K **5**
Shaw La. *M'well* —4C **4**
Shaw St. *B'ley* —6D **10**
Sheaf Ct. *B'ley* —1K **21**
Sheaf Cres. *Bol D* —7H **25**
Shed La. *S'bgh* —5K **19**
Sheerien Clo. *B'ley* —6E **4**
Sheffield Rd. *B'ley* —7F **11**
Sheffield Rd. *Birdw* —7E **20**
Sheffield Rd. *Hoy* —4G **27**
Sheffield Rd. *P'stne & Oxs*
  —5G **17**
Shelley Clo. *P'stne* —4F **17**
Shelley Dri. *B'ley* —4G **11**
Shepherd La. *Thurn* —1H **25**
Sherburn Rd. *B'ley* —7E **4**
Sheridan Ct. *B'ley* —4H **11**
Sherwood St. *B'ley* —6F **11**
Sherwood Way. *Cud* —5C **6**
Shield Av. *Wors* —3G **21**
Shipcroft Clo. *Womb* —6G **23**
Shire Oak Dri. *Else* —4D **28**
Shirland Av. *B'ley* —1G **11**
Shore Hall La. *Mill G* —6A **16**
Shortfield Ct. *B'ley* —6E **4**
Short Row. *B'ley* —2F **11**
Short St. *Hoy* —4H **27**
Short Wood Clo. *Birdw* —7F **21**
Shortwood La. *Clayt* —3E **14**
Shortwood Vs. *Hoy* —2G **27**
Shrewsbury Clo. *P'stne* —5F **17**
Shrewsbury Rd. *P'stne* —5F **17**
Shroggs Head Clo. *D'fld* —2K **23**
Sidcop Rd. *Cud* —5C **6**
  (in two parts)
Siena Clo. *D'fld* —2G **23**
Sike Clo. *Dart* —5G **3**
Sike La. *P'stne* —7C **16**
Silkstone. —7D 8
Silkstone Clo. *Tank* —4D **26**
Silkstone Common. —3E 18
Silkstone Cross. —1D 18
Silkstone Golf Course. —6H **9**
Silkstone La. *Caw & Silk* —3D **8**
Silkstone Vw. *Hoy* —1A **28**
Silverdale Dri. *B'ley* —2K **11**
Silverstone Av. *Cud* —7E **6**
Silver St. *B'ley* —7E **10**
  (in two parts)
Silver St. *Dod* —2K **19**
Sim Hill. —7F 19
Simons Way. *Womb* —3D **22**
Sitka Clo. *Roy* —4H **5**

Skelton Av. *M'well* —5B **4**
Skiers Vw. Rd. *Hoy* —4J **27**
Skiers Way. *Hoy* —4J **27**
Skinpit La. *H'swne* —2J **17**
Skye Cft. *Roy* —1J **5**
Slack La. *S Hien* —1D **6**
Slant Ga. *Mill G* —4A **16**
Small La. *Silk* —1K **17** & 7A **8**
Smithies. —3G 11
Smithies La. *B'ley* —3E **10**
Smithies St. *B'ley* —3E **10**
Smithley. —5B 22
Smithley La. *Womb* —5B **22**
Smithly Wood La. *Dod* —2K **19**
Smith St. *Womb* —5G **23**
Smithy Bri. La. *H'fld* —2F **29**
  (in two parts)
Smithy Green. —2F 11
Smithy Grn. Rd. *B'ley* —2F **11**
Smithy Wood La. *Dod* —2K **19**
Snailsden Way. *M'well* —6D **4**
Snape Hill. —3J 23
Snape Hill Clo. *D'fld* —3K **23**
Snape Hill Rd. *Womb* —3H **23**
Snetterton Clo. *Cud* —7E **6**
Snowden Ter. *Womb* —5F **23**
Snow Hill. *Dod* —2K **19**
Snydale Rd. *Cud* —7D **6**
Sokell Av. *Womb* —6E **22**
Somerset Ct. *Cud* —1D **12**
Somerset St. *B'ley* —5D **10**
Somerset St. *Cud* —1D **12**
Sorrento Way. *D'fld* —1H **23**
South Clo. *Roy* —4J **5**
South Cres. *Dod* —1K **19**
South Cft. *Shaf* —3E **6**
South Dri. *Bol D* —7F **25**
South Dri. *Roy* —4J **5**
Southfield Cotts. *B'ley* —5J **5**
Southfield Cres. *Thurn* —1F **25**
Southfield La. *Thurn* —2F **25**
  (in two parts)
Southfield Rd. *Cud* —3E **12**
Southgate. *B'ley* —4C **10**
Southgate. *Hoy* —3A **28**
Southgate. *P'stne* —6G **17**
Southgate. *S Hien* —1G **7**
S. Grove Dri. *B'ley* —4K **27**
South Hiendley. —1F 7
South La. *H'swne & Caw* —1J **17**
Southlea Av. *Hoy* —4B **28**
Southlea Clo. *Hoy* —4B **28**
Southlea Dri. *Hoy* —4A **28**
Southlea Rd. *Hoy* —4B **28**
South Pl. *B'ley* —4B **10**
South Pl. *Womb* —5D **22**
South Rd. *Dod* —1K **19**
South St. *B'ley* —6D **10**
South St. *Cud* —6D **6**
South St. *D'fld* —3J **23**
South St. *Dod* —2K **19**
South Vw. *D'fld* —3J **23**
South Vw. *Grim* —1H **13**
S. View Rd. *Hoy* —4K **27**
Southwell St. *B'ley* —5D **10**
S. Yorkshire (Redbrook) Ind. Est.
  B'ley —2A **10**
Sparkfields. *M'well* —6B **4**
Spark La. *Bar G & M'well* —7A **4**
Spa Well Gro. *Brie* —3J **7**
Spa Well Ter. *B'ley* —5F **11**
Spencer St. *B'ley* —7E **10**
Spey Clo. *M'well* —7C **4**
Springbank. *D'fld* —3K **23**
Springbank Clo. *B'ley* —6J **5**
Spring Dri. *Bram* —1J **29**
Springfield. *Bol D* —6E **24**
Springfield Clo. *D'fld* —3K **23**
Springfield Cres. *D'fld* —3K **23**
Springfield Cres. *Hoy* —4J **27**
Springfield Pl. *B'ley* —6D **10**
Springfield Rd. *Grim* —7H **7**
Springfield Rd. *Hoy* —4H **27**
Springfields. *B'ley* —3A **10**

Springfield St. *B'ley* —6C **10**
Springfield Ter. *B'ley* —6D **10**
Spring Gdns. *B'ley* —3J **11**
Spring Gdns. *Hoy* —3A **28**
Spring Gro. *B'ley* —5K **5**
Springhill Av. *Bram* —1J **29**
Spring La. *B'ley* —6K **5**
Spring La. *New C* —2C **4**
Spring Ram Bus. Pk. *Dart* —4G **3**
Spring St. *B'ley* —7E **10**
Spring Vale. —5G 17
Spring Va. Av. *Wors* —4F **21**
Springvale Gro. *P'stne* —5G **17**
Springvale Rd. *Gt Hou* —5C **14**
Springvale Rd. *Grim* —2H **13**
Spring Wlk. *Womb* —4D **22**
Springwood Gro. *Thurn* —1G **25**
Springwood Rd. *Hoy* —4J **27**
Springwood Vw. *P'stne* —5H **17**
Spruce Av. *Roy* —3H **5**
Spry La. *Clayt* —3E **14**
Square, The. *B'ley* —7D **10**
Square, The. *Grim* —1K **13**
Square, The. *Harl* —7K **27**
Stacey Cres. *Grim* —7H **7**
Stackyard, The. *B'ley* —7D **12**
Stainborough. —4K 19
Stainborough Clo. *Dod* —2K **19**
Stainborough La. *Hood G* —6J **19**
Stainborough Rd. *Dod* —2K **19**
Stainborough Vw. *Tank* —3D **26**
Stainborough Vw. *Wors* —3F **21**
Staincross. —4A 4
Staincross Comn. *M'well* —4B **4**
Stainley Clo. *B'ley* —3B **10**
Stainmore Clo. *Silk* —7D **8**
Stainton Clo. *B'ley* —1E **10**
Stairfoot. —1A 22
Stairfoot Ind. Est. *B'ley* —1A **22**
Stamford Way. *M'well* —4B **4**
Stanbury Clo. *B'ley* —3B **10**
Standhill Cres. *B'ley* —7E **4**
Stanhope Av. *Caw* —2D **8**
Stanhope Gdns. *B'ley* —4C **10**
Stanhope St. *B'ley* —6D **10**
Stanley Rd. *B'ley* —7A **12**
Stanley St. *B'ley* —6D **10**
Stanley St. *Cud* —2E **12**
Star La. *B'ley* —6E **10**
Station Cotts. *Dart* —5J **3**
Station Rd. *B'ley* —5D **10**
Station Rd. *Bol D* —6G **25**
Station Rd. *Cud* —5J **3**
Station Rd. *Dod* —1J **19**
Station Rd. *Lund* —2B **12**
Station Rd. *Roy* —1H **5**
Station Rd. *Thurn* —7H **15**
Station Rd. *Womb* —5G **23**
(in two parts)
Station Rd. *Wors* —4J **21**
Station Rd. Ind. Est. *Womb*
—4G **23**
Station Ter. *Roy* —2A **6**
Steadfield Rd. *Hoy* —5H **27**
Stead La. *Hoy* —4H **27**
Steele St. *Hoy* —4G **27**
Steep La. *H'swne* —4H **17**
Steeton Ct. *B'ley* —3C **28**
Stevenson Dri. *Hghm* —3J **9**
Stirling Clo. *Else* —3C **28**
Stocks Hill Clo. *B'ley* —5J **5**
Stock's La. *B'ley* —5C **10**
Stonebridge La. *Gt Hou* —6C **14**
Stone Ct. *S Hien* —2J **9**
Stonecroft Ct. *Silk C* —3D **18**
Stonegarth Clo. *Cud* —1D **12**
Stonehill Clo. *Hoy* —2J **27**
Stonehill Ri. *Cud* —1D **12**
Stonehill Ri. *P'stne* —7E **16**
Stonelea Clo. *Silk* —7D **8**
Stone Leigh. *Tank* —4D **26**
Stoneleigh Cft. *B'ley* —1F **21**

Stone Row Ct. *Tank* —5D **26**
Stone St. *B'ley* —3E **10**
Stonewood Gro. *Hoy* —5A **28**
Stoney Royd. *B'ley* —5F **5**
Stonyford Rd. *Womb* —4H **23**
Stoors Wood Vw. *Cud* —3F **13**
Storey's Ga. *Womb* —5D **22**
Storrs Clo. *Oxs* —5A **18**
Storrs La. *Wort* —7B **26**
Storrs Mill La. *Cud* —5G **13**
Stotfold Dri. *Thurn* —7G **15**
Stotfold Rd. *Clayt* —4H **15**
Stottercliffe Rd. *Thurls & P'stne*
(in three parts) —5D **16**
Strafford Av. *Else* —3C **28**
Strafford Av. *Wors* —2F **21**
Strafford Gro. *Birdw* —3F **27**
Strafford Ind. Est. *Dod* —3A **20**
Strafford St. *Dart* —6G **3**
Strafford Wlk. *Dod* —2K **19**
Straight La. *Gold* —3J **25**
Strawberry Gdns. *Roy* —2J **5**
Street. —7G 29
Street Balk. *Clayt* —5J **15**
Street La. *W'wth* —7F **29**
Strelley Rd. *B'ley* —6E **4**
Stretton Rd. *B'ley* —2G **11**
Stuart St. *Thurn* —7J **15**
Stubbs Rd. *Womb* —6E **22**
Stump Cross. —7F 29
Stump Cross Gdns. *Bol D* —6F **25**
Sulby Gro. *B'ley* —2K **21**
Summerdale Rd. *Cud* —1C **12**
Summer La. *B'ley* —5C **10**
Summer La. *Roy* —2H **5**
Summer La. *Womb* —5D **22**
Summer Rd. *Roy* —2H **5**
Summer St. *B'ley* —5D **10**
(in two parts)
Sunderland Ter. *B'ley* —7G **11**
Sunningdale Av. *Dart* —5A **4**
Sunningdale Dri. *Cud* —6E **6**
Sunny Bank. *Jump* —2B **28**
Sunny Bank Dri. *Cud* —2D **12**
Sunny Bank Ri. *Else* —3C **28**
Sunny Bank Rd. *Silk* —7D **8**
Sunnybrook Clo. *Hoy* —5A **28**
Sunrise Mnr. *Hoy* —2A **28**
Surrey Clo. *B'ley* —1F **21**
Sutton Av. *B'ley* —6F **5**
Swaithe. —3A 22
Swaithedale. *Wors* —3J **21**
Swaithe Vw. *Wors* —3K **21**
Swale Clo. *Bol D* —6H **25**
Swaledale Dri. *Womb* —5G **23**
Swallow Clo. *Birdw* —1F **27**
Swallow Clo. *Dart* —6H **3**
Swallow Hill. —7A 4
Swallow Hill Rd. *Bar G* —7A **4**
Swallowood Ct. *Bram* —3H **29**
Swanee Rd. *B'ley* —1H **21**
Sweyn Cft. *Wors* —3G **21**
Swift St. *B'ley* —4D **10**
Swithen Farm. *Haigh* —3F **3**
Sycamore Av. *Cud* —7D **6**
Sycamore Av. *Grim* —2K **13**
Sycamore Dri. *Roy* —3G **5**
Sycamore La. *H'swne* —2J **17**
Sycamore Rd. *Hems* —1K **7**
Sycamore St. *B'ley* —5C **10**
Sycamore Wlk. *P'stne* —5F **17**
Sycamore Wlk. *Thurn* —7H **15**
Sydney Ter. *B'ley* —7F **11**
Sykes Av. *B'ley* —5D **10**
Sykes St. *King* —1D **20**

Talbot Rd. *P'stne* —4E **16**
Tamar Clo. *Hghm* —4J **9**
Tanfield Clo. *Roy* —2G **5**
Tankersley. —5F 27
Tankersley La. *Hoy* —5F **27**

Tankersley Pk. Golf Course.
—7E **26**

Tank Row. *B'ley* —6K **11**
Tan Pit Clo. *Clayt* —3H **15**
Tan Pit La. *Clayt* —3H **15**
Tan Pit La. *Gold* —5H **25**
Tanyard. *Dod* —2J **19**
Tanyard Cft. *Brie* —3J **7**
Tavy Clo. *Bar G* —2J **9**
Taylor Cres. *Grim* —1K **13**
Taylor Hill. *Caw* —3C **8**
Taylor Row. *B'ley* —7F **11**
Teapot Corner. *Clayt* —3H **15**
Tempest Av. *D'fld* —1J **23**
Temple Way. *B'ley* —4K **11**
Tennyson Clo. *P'stne* —4F **17**
Tennyson Rd. *B'ley* —3H **11**
Tenter Hill. *Thurls* —4C **16**
Tenters Grn. *Wors* —4F **21**
Thicket La. *P'stne* —7G **17**
Thicket La. *Wors* —4J **21**
Thirlmere Rd. *B'ley* —6G **11**
Thomas St. *B'ley* —7F **11**
Thomas St. *D'fld* —3K **23**
Thomas St. *Wors* —3G **21**
Thompson Rd. *Womb* —6F **23**
Thoresby Av. *B'ley* —4J **11**
Thorncliffe Way. *Tank* —4E **26**
Thorne Clo. *B'ley* —7E **4**
Thorne End Rd. *M'well* —4B **4**
Thornely Av. *Dod* —7K **9**
Thornley Cotts. *Dod* —1K **19**
Thornley Sq. *Dod* —1K **19**
Thornley Sq. *Thurn* —7F **15**
Thornley Vs. *Birdw* —2E **26**
Thornton Rd. *B'ley* —1J **21**
Thornton Ter. *B'ley* —1J **21**
Thorntree La. *B'ley* —4D **10**
Thornwell Gro. *Cud* —1C **12**
Three Nooks La. *Cud* —5D **6**
Thruxton Clo. *Cud* —7E **6**
Thurgoland Hall La. *T'land* —7F **19**
Thurlstone. —4C 16
Thurlstone Rd. *P'stne* —5D **16**
Thurnscoe. —7G 15
Thurnscoe Bri. La. *Thurn* —2H **25**
Thurnscoe East. —7J 15
Thurnscoe La. *Gt Hou* —6C **14**
Thurnscoe La. Bus. Pk. *Thurn*
—1J **25**
Thurnscoe Rd. *Bol D* —6G **25**
Timothy Wood Av. *Birdw* —1F **27**
Tingle Bri. Av. *H'fld* —2E **28**
Tingle Bri. Cres. *H'fld* —2E **28**
Tingle Bri. La. *H'fld* —2E **28**
Tingle Clo. *H'fld* —2E **28**
Tinker La. *Hoy* —3G **27**
Tinsley Rd. *Hoy* —2K **27**
Tippit La. *Cud* —2E **12**
Tipsey Ct. *M'well* —5D **4**
Tipsey Hill. *M'well* —5D **4**
Tithe Laithe. *Hoy* —3A **28**
Tivy Dale. —3C 8
Tivy Dale. *Caw* —3C **8**
Tivy Dale Clo. *Caw* —3C **8**
Tivy Dale Dri. *Caw* —3C **8**
Tivydale Dri. *Dart* —7J **3**
Togo Bldgs. *Thurn* —1G **25**
Togo St. *Thurn* —1G **25**
Tollbar Clo. *Oxs* —7K **17**
Tomlinson Rd. *Else* —3B **28**
Topcliffe Rd. *B'ley* —2G **11**
Top Fold. *Ard* —7C **12**
Top La. *Dart* —3F **15**
Top Row. *Dart* —3J **3**
Tor Clo. *B'ley* —2H **11**
Torver Dri. *Bol D* —7G **25**
Totley Clo. *B'ley* —7H **5**
Tourist Info. Cen. —6F **11**
(Barnsley)
Tower St. *B'ley* —1E **20**
Towngate. *M'well* —5B **4**

Towngate. *Silk* —7D **8**
Towngate. *Thurls* —4C **16**
Tranmoor Ct. *Hoy* —4H **27**
Tredis Clo. *B'ley* —4H **11**
Treecrest Ri. *B'ley* —3E **10**
Treelands. *B'ley* —4B **10**
Trelawney Wlk. *Wors* —3F **21**
Trewan Ct. *B'ley* —4H **11**
Troutbeck Clo. *Thurn* —1G **25**
Trowell Way. *B'ley* —6F **5**
Trueman Ter. *B'ley* —5A **12**
Truro Ct. *B'ley* —4H **11**
Tudor St. *Thurn* —7J **15**
Tudor Way. *Wors* —3G **21**
Tumbling La. *B'ley* —1B **12**
Tune St. *B'ley* —7J **11**
Tune St. *Womb* —6E **22**
Turnberry Gro. *Cud* —6E **6**
Turner Av. *Womb* —5D **22**
Turner's Clo. *Jump* —2B **28**
Turner St. *Gt Hou* —6C **14**
Turnesc Gro. *Thurn* —1H **25**
Tuxford Cres. *B'ley* —5K **11**
Twelve Lands Clo. *Tank* —4E **26**
Twibell St. *B'ley* —4G **11**
Two Gates Way. *Shaf* —4E **6**
Tyers Hill. —6F 13

Ullswater Clo. *Bol D* —7G **25**
Ullswater Rd. *B'ley* —7D **12**
Underhill. *Wors* —4H **21**
Underwood Av. *Wors* —2H **21**
Union Ct. *B'ley* —7F **11**
Union St. *B'ley* —7F **11**
Unwin Cres. *P'stne* —6F **17**
Unwin St. *P'stne* —6F **17**
Uplands Av. *Dart* —6G **3**
Up. Cliffe Rd. *Dod* —7J **9**
Upper Cudworth. —5E 6
Up. Field La. *H Hoy* —5A **2**
Upper Folderings. *Dod* —1K **19**
Up. Forest Rd. *B'ley* —6F **5**
Up. High Royds. *Dart* —6A **4**
Upper Hoyland. —2J 27
Up. Hoyland Rd. *Hoy* —1H **27**
Up. Lunns Clo. *Roy* —3A **6**
Up. New St. *B'ley* —7F **11**
Up. Sheffield Rd. *B'ley* —1G **21**
Upper Swithen. —3F 3
Upper Tankersley. —6E 26
Upperwood Rd. *D'fld* —2G **23**
Upton Clo. *Womb* —4D **22**

Vaal St. *B'ley* —7H **11**
Vale Vw. *Oxs* —7K **17**
Valley Pk. Ind. Est. *Womb* —7J **23**
Valley Rd. *M'well* —5A **4**
Valley Rd. *Womb* —4G **23**
Valley Way. *Hoy* —3A **28**
Valley Way. *Womb* —6G **23**
Vancouver Dri. *Bol D* —7G **25**
Vaughan Rd. *B'ley* —4B **10**
Vaughan Ter. *Gt Hou* —5C **14**
Velvet Wood Clo. *B'ley* —4A **10**
Venetian Cres. *D'fld* —3H **23**
Vernon Clo. *B'ley* —1F **21**
Vernon Cres. *Wors* —3F **21**
Vernon Rd. *Wors* —3F **21**
Vernon St. *B'ley* —5F **11**
Vernon St. *Birdw* —3F **27**
Vernon St. *Hoy* —4J **27**
Vernon St. N. *B'ley* —5F **11**
Vernon Way. *B'ley* —4B **10**
Verona Ri. *D'fld* —3J **23**
Vicarage Clo. *Hoy* —3A **28**
Vicarage Farm Ct. *Silk* —7E **8**
Vicarage La. *Roy* —3J **5**
Vicarage Wlk. *P'stne* —5F **17**
Vicar Cres. *D'fld* —3K **23**
Vicar Rd. *D'fld* —3K **23**

Victoria Av. *B'ley* —5E **10**
Victoria Cres. *B'ley* —5D **10**
Victoria Cres. *Birdw* —2E **26**
Victoria Cres. W. *B'ley* —5D **10**
Victoria Jubilee Mus. —3C **8**
Victoria Rd. *B'ley* —5E **10**
Victoria Rd. *Roy* —2K **5**
Victoria Rd. *Womb* —5F **23**
Victoria St. *B'ley* —5E **10**
Victoria St. *Cud* —7D **6**
Victoria St. *D'fld* —2K **23**
Victoria St. *Gold* —3J **25**
Victoria St. *Hoy* —3B **28**
Victoria St. *P'stne* —5F **17**
Victoria St. *S'foot* —7K **11**
Victoria Ter. *B'ley* —7G **11**
Victor Ter. *B'ley* —7G **11**
Viewland Clo. *Cud* —2E **12**
Viewlands. *Silk C* —3E **18**
Viewlands Clo. *P'stne* —3F **17**
View Rd. *Thurls* —4C **16**
Viewtree Clo. *Harl* —7F **27**
Vincent Rd. *B'ley* —4B **12**
Vincent Ter. *Thurn* —1K **25**
Vine Clo. *B'ley* —3J **11**
Violet Farm Ct. *Brie* —4J **7**
Vissitt La. *Hems* —1J **7**
Vizard Rd. *Hoy* —3C **28**

Waddington Rd. *B'ley* —5B **10**
Wade St. *B'ley* —5B **10**
Wager La. *Brie* —3J **7**
Wainscott Clo. *B'ley* —2J **11**
Wainwright Av. *Womb* —5D **22**
Wainwright Pl. *Womb* —5D **22**
Wakefield Rd. *Clayt W* —1A **2**
Wakefield Rd. *M'well & B'ley*
—3C **4**
Walbert Av. *Thurn* —1G **25**
Walbrook. *Wors* —4H **21**
Walker Rd. *Tank* —4F **27**
Walkers Ter. *B'ley* —2J **11**
Walk, The. *Birdw* —3E **26**
Wall St. *B'ley* —7E **10**
Walney Fold. *B'ley* —1K **11**
Walnut Clo. *B'ley* —1F **21**
Waltham St. *B'ley* —7F **11**
Walton St. *B'ley* —4C **10**
Walton St. N. *B'ley* —4C **10**
Wansfell Ter. *B'ley* —6G **11**
Ward Clo. *P'stne* —6F **17**
Ward Green. —3F 21
Ward St. *P'stne* —6F **17**
Wareham Gro. *Dod* —7A **10**
Warner Av. *B'ley* —5B **10**
Warner Pl. *B'ley* —5C **10**
Warner Rd. *B'ley* —5B **10**
Warren Clo. *Roy* —1K **5**
Warren Cres. *B'ley* —1F **21**
Warren La. *Dart & New C* —3B **4**
Warren Pl. *B'ley* —1F **21**
Warren Quarry La. *B'ley* —1F **21**
Warren Vw. *B'ley* —7F **11**
Warren Vw. *Hoy* —5J **27**
Warren Wlk. *Roy* —2J **5**
(Queensway)
Warren Wlk. *Roy* —1K **5**
(Warren Clo.)
Warsop Rd. *B'ley* —5E **4**
Warwick Rd. *B'ley* —4H **11**
Washington Av. *Womb* —6D **22**
Washington Rd. *Gold* —4H **25**
Watchley Gdns. *Gold* —3G **25**
Waterdale Rd. *Wors* —4F **21**
Waterfield Pl. *B'ley* —7A **12**
Water Hall La. *P'stne* —4F **17**
(in two parts)
Waterhall Vw. *P'stne* —4F **17**
Watering La. *Ard* —7E **12**
Watering Pl. Rd. *Thurls* —5C **16**
Water La. *W'wth* —6C **28**

Waterloo Rd. *B'ley* —6D **10**
Watermead. *Bol D* —7H **25**
Water Royd Dri. *Dod* —1K **19**
Waterside Pk. *Womb* —6H **23**
Wath Rd. *Bol D* —7F **25**
Wath Rd. *Else & H'fld* —5D **28**
Wath Rd. *Womb* —6H **23**
Wath W. Ind. Est. *Wath D* —7A **24**
Watnall Rd. *B'ley* —6F **5**
Watson St. *Hoy* —4H **27**
Waveney Dri. *Hghm* —4J **9**
Waycliffe. *B'ley* —4J **11**
Wayland Av. *Wors* —3F **21**
Weaver Clo. *B'ley* —4J **9**
Weet Shaw La. *Cud & Shaf* —5C **6**
Weir Clo. *Hoy* —5A **28**
Welbeck St. *B'ley* —5D **10**
(in two parts)
Welfare Rd. *Thurn* —7H **15**
Welfare Vw. *Dod* —7K **9**
Welfare Vw. *Gold* —4H **25**
Welland Ct. *Hghm* —4J **9**
Welland Cres. *Else* —3C **28**
Wellcroft Ho. *Roy* —3J **5**
(off Church St.)
Wellfield Gro. *P'stne* —3F **17**
Wellfield Rd. *B'ley* —4D **10**
Wellgate. *M'well* —5B **4**
Well Hill Gro. *Roy* —2J **5**
Well Ho. La. *P'stne* —3F **17**
(Barnsley Rd.)
Well Ho. La. *P'stne* —2D **16**
(Huddersfield Rd.)
Wellhouse Way. *P'stne* —3F **17**
Wellington Clo. *B'ley* —3H **11**
Wellington Cres. *Wors* —2J **21**
Wellington Pl. *B'ley* —6D **10**
Wellington Pl. *B'ley* —6E **10**
Wellington St. *Gold* —3J **25**
Well La. *B'ley* —2J **11**
Well La. Ct. *L Hou* —2D **24**
Wells Ct. *M'well* —6C **4**
Wells St. *Cud* —1D **12**
Well's St. *Dart* —6J **3**
Well St. *B'ley* —6D **10**
Wendel Gro. *Else* —3D **28**
Wensley Clo. *B'ley* —7E **4**
Wensley Rd. *B'ley* —7E **4**
Wensley St. *Thurn* —7F **15**
Wentworth. —7C 28
Wentworth Cres. *M'well* —6D **4**
Wentworth Cres. *P'stne* —5F **17**
Wentworth Dri. *M'well* —6C **4**
Wentworth Ind. Pk. *Tank* —5D **26**
Wentworth Meadows. *P'stne*
—4F **17**
Wentworth M. *P'stne* —5F **17**
Wentworth Rd. *Bla H* —7K **21**
Wentworth Rd. *Dart* —6H **3**
Wentworth Rd. *Else* —5C **28**
Wentworth Rd. *Jump* —2C **28**
Wentworth Rd. *M'well* —6C **4**
Wentworth Rd. *P'stne* —4E **16**
(in two parts)
Wentworth St. *B'ley* —4E **10**
Wentworth St. *Birdw* —2E **26**
Wentworth Vw. *Hoy* —4A **28**
(Millhouses St.)
Wentworth Vw. *Hoy* —4J **27**
(Willow Clo.)
Wentworth Vw. *Womb* —7F **23**
Wentworth Way. *Dod* —2K **19**
Wentworth Way. *Tank* —5D **26**
Wescoe Av. *Gt Hou* —6C **14**
Wesley St. *B'ley* —6F **11**
Wessenden Clo. *B'ley* —6A **10**
West Av. *Bol D* —7F **25**
West Av. *Roy* —2K **5**
West Av. *Womb* —5D **22**
Westbourne Gro. *B'ley* —4D **10**
Westbourne Ter. *B'ley* —6C **10**

Westbury Clo. *B'ley* —3B **10**
West Cres. *Oxs* —6J **17**
W. End Av. *Mill G* —5A **16**
W. End Av. *Roy* —3G **5**
W. End Cres. *Roy* —3G **5**
W. End Rd. *Wath D* —2K **29**
Western St. *B'ley* —5D **10**
Western Ter. *Womb* —5E **22**
Westfield. —3J 29
Westfield Av. *Thurls* —4C **16**
Westfield Cres. *Thurn* —7F **15**
Westfield La. *B'ley* —2H **9**
Westfield La. *Thurls* —4B **16**
(in two parts)
Westfield Rd. *Bram & Bram B*
—3J **29**
Westfields. *Roy* —2G **5**
Westfields. *Wors* —4G **21**
Westfield St. *B'ley* —6D **10**
Westgate. *B'ley* —6E **10**
Westgate. *Monk B* —3H **11**
Westgate. *P'stne* —6F **17**
West Green. —1B 12
West Gro. *Roy* —2G **5**
West Haven. *Cud* —2E **12**
W. Kirk La. *L Hou* —1C **24**
Westmoor Clo. *Gold* —3G **25**
W. Moor Cres. *B'ley* —6A **10**
W. Moor La. *Bol D & H'ton*
—6K **25**
W. Mount Av. *Wath D* —1K **29**
West Pinfold. *Roy* —3J **5**
Westpit Hill. *Bram B* —2J **29**
West Rd. *B'ley* —5B **10**
West St. *D'fld* —3J **23**
West St. *Gold* —2J **25**
West St. *Hoy* —3J **27**
West St. *Roy* —2K **5**
West St. *S Hien* —1G **7**
West St. *Womb* —5E **22**
West St. *Wors* —4G **21**
West Vw. *B'ley* —1E **20**
West Vw. *Cud* —2E **12**
West Vw. *Wors* —4H **21**
W. View Cres. *Gold* —4G **25**
W. View Ter. *Wors* —4H **21**
(off Ashwood Clo.)
Westville Rd. *B'ley* —4D **10**
West Way. *B'ley* —6E **10**
Westwood Country Pk. —7D 26
Westwood Clo. *B'ley* —3A **10**
Westwood La. *Wort* —5D **26**
Westwood New Rd. *High G &*
Tank —7D **26**
Whaley Rd. *B'ley* —2K **9**
Wharfedale Rd. *B'ley* —5B **10**
Wharf St. *B'ley* —4G **11**
Wharncliffe. *Dart* —2A **20**
Wharncliffe Clo. *Hoy* —5K **27**
Wharncliffe Ct. *Tank* —4C **26**
Wharncliffe St. *B'ley* —6D **10**
Wharncliffe St. *Car* —6K **5**
Wheatfield Dri. *Thurn* —1H **25**
Wheatley Clo. *B'ley* —3F **11**
Wheatley Ri. *M'well* —4B **4**
Wheatley Rd. *B'ley* —1A **22**
Whinby Cft. *Dod* —1K **19**
Whinby Rd. *Dod* —7H **9**
Whin Gdns. *Thurn* —6H **15**
Whin La. *Silk* —1B **18**
Whinmoor Clo. *Silk* —6D **8**
Whinmoor Ct. *Silk* —6D **8**
Whinmoor Dri. *Silk* —6D **8**
Whin Moor La. *Silk* —7A **8**
Whinmoor Vw. *Silk* —6D **8**
Whinmoor Way. *Silk* —7D **8**
Whinside Cres. *Thurn* —6G **15**
Whitbourne Clo. *B'ley* —2F **11**
White Cross Av. *Cud* —2D **12**
White Cross Ct. *Cud* —2E **12**
White Cross La. *Wors* —3K **21**
White Cross Mt. *Cud* —2E **12**

White Cross Ri. *Wors* —3K **21**
White Cross Rd. *Cud* —2D **12**
White Hill Av. *B'ley* —6A **10**
White Hill Av. *B'ley* —6A **10**
White Hill Gro. *B'ley* —6B **10**
White Hill Ter. *B'ley* —6A **10**
Whitewood Clo. *Roy* —4H **5**
Whitworth's Ter. Thurn —7J **15**
(off Clarke St.)
Whitworth St. *Gold* —3J **25**
Whyn Vw. *Thurn* —7G **15**
Wigfield Dri. *Wors* —3F **21**
Wigfield Farm. —4E 20
Wike Rd. *B'ley* —5A **12**
Wilbrook Ri. *B'ley* —3A **10**
Wilby La. *B'ley* —7G **11**
Wilford Rd. *B'ley* —5E **4**
Wilfred Ter. *B'ley* —7E **10**
Wilkinson Rd. *Else* —4C **28**
Wilkinson St. *B'ley* —7F **11**
William St. *Gold* —3G **25**
William St. *Womb* —5E **22**
William St. *Wors* —3G **21**
Willman Rd. *B'ley* —4B **12**
Willow Bank. *B'ley* —2D **10**
(in two parts)
Willow Brook Rd. *Dart* —6A **4**
Willow Clo. *Cud* —7D **6**
Willow Clo. *Hoy* —4J **27**
Willow Ct. *D'fld* —3J **23**
Willowcroft. *Bol D* —7F **25**
Willow Dene Rd. *Grim* —7J **7**
Willow La. *Bol D* —7H **25**
Willow La. *Oxs* —6K **17**
Willow Rd. *Thurn* —6H **15**
Willows, The. *D'fld* —3J **23**
Willows, The. *Oxs* —7K **17**
Willow St. *B'ley* —7D **10**
Wilsden Gro. *B'ley* —4B **10**
Wilson Av. *P'stne* —6F **17**
Wilson Gro. *B'ley* —3A **12**
Wilson St. *Womb* —5D **22**
Wilson Wlk. *Dod* —2A **20**
Wilthorpe. —3D 10
Wilthorpe Av. *B'ley* —3C **10**
Wilthorpe Cres. *B'ley* —3C **10**
Wilthorpe Farm Rd. *B'ley* —3C **10**
Wilthorpe Grn. *B'ley* —3C **10**
Wilthorpe La. *B'ley* —3B **10**
(in two parts)
Wilthorpe Rd. *B'ley* —3A **10**
Winchester Way. *B'ley* —1C **22**
Windermere Av. *Gold* —4J **25**
Windermere Rd. *B'ley* —6G **11**
Windermere Rd. *P'stne* —4F **17**
Winders Pl. *Womb* —5F **23**
Windham Clo. *B'ley* —4F **11**
Windhill Av. *Dart* —3A **4**
Windhill Cres. *Dart* —3A **4**
Windhill Dri. *Dart* —3A **4**
Windhill La. *Dart* —3A **4**
Windhill Mt. *Dart* —3A **4**
Windings, The. *Thurn* —1K **25**
Windmill Av. *Grim* —6H **7**
Windmill La. *Thurls* —5C **16**
Windmill Rd. *Womb* —6D **22**
Windmill Ter. *Roy* —1H **5**
Windsor Av. *Dart* —6G **3**
Windsor Av. *Thurls* —4C **16**
Windsor Ct. *Thurn* —7J **15**
Windsor Cres. *B'ley* —4H **11**
Windsor Cres. *L Hou* —1B **24**
Windsor Dri. *Dod* —1K **19**
Windsor Sq. *Thurn* —7J **15**
Windsor St. *Hoy* —2K **27**
Windsor St. *Thurn* —7J **15**
Wingfield Rd. *B'ley* —1G **11**
Winmarith Ct. *Roy* —3H **5**
Winster Clo. *Birdw* —1F **27**
Winter Av. *B'ley* —5C **10**
Winter Av. *Roy* —1J **5**
Winter Rd. *B'ley* —5C **10**
Winter Ter. *B'ley* —5C **10**

Winton Clo.—Zion Ter.

Winton Clo. *B'ley* —1G **21**
Witham Ct. *Hghm* —4J **9**
Withens Ct. *M'well* —5A **4**
Woburn Pl. *Dod* —2K **19**
Wollaton Clo. *B'ley* —6E **4**
Wombwell. —5F 23
Wombwell Hillies Golf Course.
—7F **23**
Wombwell La. *B'ley & Womb*
—1A **22**
Wombwell La. *Hoy* —6K **21**
Wombwell Rd. *Hoy* —2A **28**
Wood Acres. *B'ley* —3A **10**
Woodbourne Gdns. *Tank* —4E **26**
Woodcock Rd. *Hoy* —4A **28**
Wood End Av. *P'stne* —7E **16**
Woodfield Clo. *D'fld* —2J **23**
Woodfield Rd. *Wath D* —3K **29**
Woodhall Clo. *D'fld* —2J **23**
Woodhall Flats. *D'fld* —2J **23**
Woodhall Rd. *D'fld* —2J **23**
Woodhead Dri. *Bla H* —7K **21**
Woodhead La. *Hoy* —6A **22**
Woodhouse La. *Wool* —1A **4**
Woodhouse Rd. *Hoy* —4K **27**
Woodland Dri. *B'ley* —7B **10**
Woodland Ri. *Silk C* —3E **18**

Woodlands Rd. *Hoy* —1A **28**
Woodlands Vw. *Gt Hou* —5C **14**
Woodlands Vw. *Hoy* —2A **28**
Woodlands Vw. *Womb* —1C **28**
Woodland Ter. *Grim* —2K **13**
Woodland Vw. *Cud* —2D **12**
Woodland Vw. *Silk C* —3E **18**
Woodland Vs. *Grim* —1K **13**
Woodland Vs. *Tank* —4E **26**
Wood La. *B'ley* —4G **5**
Wood La. *Car* —5J **5**
Wood La. *Roy* —4E **4**
Woodmoor St. *B'ley* —6K **5**
Wood Pk. Vw. *B'ley* —5F **5**
Woodroyd Av. *B'ley* —5J **5**
Woodroyd Clo. *B'ley* —5J **5**
Woodstock Rd. *B'ley* —3D **10**
Wood St. *B'ley* —7E **10**
Wood St. *S Hien* —1G **7**
Wood St. *Womb* —6E **22**
Wood Syke. *Dod* —1A **20**
Wood Vw. *Birdw* —3F **27**
Wood Vw. *Else* —4C **28**
(in two parts)
Wood Vw. La. *B'ley* —4B **10**
Wood Wlk. *Hoy* —1A **28**
Wood Wlk. *Roy* —1J **5**

Wooley Av. *Womb* —6E **22**
Woolley Colliery Rd. *Dart* —5J **3**
Woolley Edge La. *Wool* —1J **3**
Woolstocks La. *Caw* —4C **8**
Wordsworth Av. *P'stne* —6E **16**
Wordsworth Ct. *P'stne* —4F **17**
Wordsworth Rd. *B'ley* —3H **11**
Wordsworth Rd. *Wath D* —2K **29**
Work Bank La. *Thurls* —4C **16**
Worral Clo. *Wors* —2F **21**
Worsborough Vw. *Tank* —3D **26**
Worsbrough. —3H 21
Worsbrough Bridge. —5H 21
Worsbrough Common. —1F 21
Worsbrough Dale. —4J 21
Worsbrough Mill Country Pk.
—5E **20**
Worsbrough Mill Mus. —5F **21**
Worsbrough Rd. *Birdw* —1F **27**
Worsbrough Rd. *Bla H* —7K **21**
Worsbrough Village. —6F 21
Worsley Clo. *B'ley* —2H **21**
Wortley Av. *Womb* —3D **22**
Wortley Golf Course. —4A **26**
Wortley St. *B'ley* —6E **10**
Wortley Vw. *Bla H* —7K **21**
Wrelton Clo. *Roy* —3H **5**

Wrens Way. *Birdw* —1F **27**
Wren Vw. *B'ley* —1F **21**
Wright Cres. *Womb* —6F **23**
Wycombe St. *B'ley* —5A **12**
Wyn Gro. *Bram* —1J **29**
Wynmoor Cres. *Bram* —2J **29**

Yewdale. *Wors* —3H **21**
Yews Av. *Wors* —3H **21**
Yews La. *Wors* —3H **21**
Yews Pl. *B'ley* —1H **21**
York St. *B'ley* —6E **10**
York St. *Cud* —1C **12**
York St. *Hoy* —2A **28**
York St. *Thurn* —6J **15**
York St. *Womb* —5F **23**
York Ter. Thurn —7J **15**
(off Chapman St.)
Yvonne Gro. *Womb* —5D **22**

Zenith Pk. *B'ley* —3A **10**
Zetland Rd. *Else* —4D **28**
Zion Dri. *M'well* —5B **4**
Zion Ter. *B'ley* —1A **22**